LA BIBLE
RECETTES FAIBLES EN GRAS

3 en 1

Un livre de cuisine faible en gras avec plus de 150 recettes simples et rapides

E. Chevalier, J. Denis, Karen Gauthier

Avertissement

Les informations contenues dans je suis destiné à servir de collection complète de stratégies que l'auteur de cet eBook a recherchées. Les résumés, stratégies, trucs et astuces ne sont que les recommandations de l'auteur, et la lecture de cet eBook ne garantit pas que vos résultats reflètent fidèlement les résultats de l'auteur. L'auteur de l'eBook a fait tous les efforts raisonnables pour fournir des informations à jour et exactes aux lecteurs de l'eBook. L'auteur et ses associés ne seront pas tenus responsables des erreurs ou omissions involontaires qui pourraient être trouvées. Le contenu de l'eBook peut inclure des informations provenant de tiers. Les documents de tiers regroupés les opinions exprimées par leurs propriétaires respectés. A ce titre, l'auteur du

Sommario

Le livre de recettes à faible taux de cholestérol

Un livre de cuisine faible en gras avec plus de 50 recettes simples et rapides

Karen Gauthier

Avertissement

Les informations contenues dans i sont destinées à servir de collection complète de stratégies que l'auteur de cet eBook a recherchées. Les résumés, stratégies, trucs et astuces ne sont que les recommandations de l'auteur, et la lecture de cet eBook ne garantit pas que vos résultats reflètent fidèlement les résultats de l'auteur. L'auteur de l'eBook a fait tous les efforts raisonnables pour fournir des informations à jour et exactes aux lecteurs de l'eBook. L'auteur et ses associés ne seront pas tenus responsables des erreurs ou omissions involontaires qui pourraient être trouvées. Le contenu de l'eBook peut inclure des informations provenant de tiers. Les documents de tiers incluent les opinions exprimées par leurs propriétaires respectifs. A ce titre, l'auteur du

INTRODUCTION

Un régime faible en gras réduit la quantité de graisse ingérée par les aliments, parfois de manière drastique. En fonction de la mise en œuvre extrême de ce régime ou de ce concept nutritionnel, seuls 30 grammes de matières grasses peuvent être consommés par jour.

Avec une alimentation complète conventionnelle selon l'interprétation de la Société allemande de nutrition, la valeur recommandée est plus du double (environ 66 grammes ou 30 à 35 pour cent de l'apport énergétique quotidien). En réduisant considérablement les graisses alimentaires, les kilos devraient chuter et / ou ne pas reposer sur les hanches.

Bien qu'il n'y ait pas d'aliments interdits en soi avec ce régime: avec la saucisse de foie, la crème et les frites, vous avez atteint votre limite quotidienne de graisse plus rapidement que vous ne diriez "loin d'être plein". Par conséquent, pour un régime à faible teneur en matières grasses, les aliments à faible teneur en matières grasses doivent se retrouver principalement ou exclusivement dans l'assiette, de préférence les «bonnes» graisses telles que les huiles de poisson et végétales.

QUELS SONT LES AVANTAGES D'UNE RÉGIME FAIBLE EN GRAS?

Les graisses fournissent des acides gras essentiels (essentiels). Le corps a également besoin de graisse pour pouvoir absorber certaines vitamines (A, D, E, K) des aliments. Éliminer complètement les graisses de l'alimentation ne serait donc pas une bonne idée.

En fait, en particulier dans les pays riches en industrie, on consomme beaucoup plus de graisses chaque jour que ce que recommandent les experts. Un problème avec cela est que la graisse est particulièrement riche en énergie: un gramme contient 9,3 calories et donc le double d'un gramme de glucides ou de protéines. Un apport plus élevé en graisses favorise donc l'obésité. De plus, on dit que trop d'acides gras saturés, comme ceux du beurre, du saindoux ou du chocolat, augmentent le risque de maladies cardiovasculaires et même de cancer. Manger des régimes faibles en gras pourrait éviter ces deux problèmes.

ALIMENTS FAIBLES EN GRAS: TABLEAU DES ALTERNATIVES MAIGRES

La plupart des gens doivent savoir qu'il n'est pas sain de faire le plein de graisse incontrôlée. Les sources évidentes de graisse telles que les bords de graisse sur la viande et les saucisses ou les lacs de beurre dans la casserole sont faciles à éviter.

Cela devient plus difficile avec les graisses cachées, comme celles que l'on trouve dans les bonbons ou les fromages. Avec ce dernier, la quantité de matière grasse est parfois appelée pourcentage absolu, parfois «% FiTr», c'est-à-dire la teneur en matière grasse de la matière sèche qui se forme lorsque l'eau est éliminée des aliments.

Pour un régime faible en gras, vous devez faire attention, car un fromage blanc à la crème avec 11,4% de matières grasses sonne moins gras qu'un avec 40% de fiTr. Les deux produits ont la même teneur en matières grasses. Des listes d'experts en nutrition (par exemple la DGE) permettent d'intégrer le plus facilement possible une alimentation faible en gras dans la vie de tous les jours et d'éviter les risques de trébuchement. Par exemple, voici un au lieu d'une table (aliments riches en matières grasses avec des alternatives faibles en matières grasses):

Les aliments riches en matières grasses

Alternatives faibles en gras

Beurre

Fromage à la crème, fromage blanc aux herbes, moutarde, crème sure, concentré de tomate

Frites, pommes de terre sautées, croquettes, crêpes de pommes de terre

Pommes de terre au four, pommes de terre au four ou pommes de terre au four

Poitrine de porc, saucisse, oie, canard

Veau, chevreuil, dinde, escalope de porc, -lende, poulet, magret de canard sans peau

Lyoner, mortadelle, salami, saucisse de foie, boudin noir, bacon

Jambon cuit / fumé sans bord gras, saucisses maigres telles que jambon de saumon, poitrine de dinde, viande rôtie, saucisse aspic

Alternatives sans gras à la saucisse ou au fromage ou à accompagner avec eux

Tomate, concombre, tranches de radis, laitue sur pain ou même tranches de banane / quartiers de pomme fins, fraises

Bâtonnet de poisson

Poisson cuit à la vapeur faible en gras

Thon, Saumon, Maquereau, Hareng

Morue à la vapeur, lieu noir, haddock

Lait, yogourt (3,5% de matière grasse)

Lait, yogourt (1,5% de matière grasse)

Crème de quark (11,4% de matière grasse = 40% de fiTr.)

Quark (5,1% de matière grasse = 20% FiTr.)

Fromage à la crème double (31,5% de matière grasse)

Fromage étagé (2,0% de matière grasse = 10% FiTr.)

Fromage gras (> 15% de matière grasse = 30% FiTr.)

Fromages allégés (max.15% de matière grasse = max.30% de fiTr.)

Crème fraîche (40% de matière grasse)

Crème sure (10% de matière grasse)

Mascarpone (47,5% de matière grasse)

Fromage à la crème granuleux (2,9% de matière grasse)

Gâteau aux fruits avec pâte brisée

Gâteau aux fruits avec levure ou pâte éponge

Gâteau éponge, gâteau à la crème, biscuits au chocolat, pâte brisée, chocolat, barres

Des desserts maigres comme du pain russe, des doigts de dame, des fruits secs, des oursons en gélatine, de la gomme aux fruits, des mini bisous au chocolat (attention: le sucre!)

Crème de nougat aux noix, tranches de chocolat

Fromage à la crème granuleux avec un peu de confiture

des croissants

Bretzels croissants, petits pains complets, viennoiseries au levain

Noix, chips

Bâtonnets de sel ou bretzels

Crème glacée

Glace aux fruits

Olives noires (35,8% de matière grasse)

olives vertes (13,3% de matière grasse)

RÉGIME FAIBLE EN GRAS: COMMENT ÉCONOMISER DES GRAISSES DANS LA FAMILLE

En plus de l'échange d'ingrédients, il existe quelques autres astuces que vous pouvez utiliser pour intégrer un régime faible en gras dans votre vie quotidienne:

La cuisson à la vapeur, le ragoût et les grillades sont des méthodes de cuisson faibles en gras pour un régime faible en gras.

Cuire dans le Römertopf ou avec des casseroles spéciales en acier inoxydable. Les aliments peuvent également être préparés sans gras dans des casseroles enduites ou en papier d'aluminium.

Vous pouvez également économiser de la graisse avec un pulvérisateur à pompe: versez environ la moitié de l'huile et de l'eau, secouez-la et vaporisez-la sur le fond de la poêle avant de la faire frire. Si vous n'avez pas de pulvérisateur à pompe, vous pouvez graisser le pot avec une brosse - cela économise également de la graisse.

Pour un régime faible en gras dans les sauces à la crème ou les ragoûts, remplacez la moitié de la crème par du lait.

Laisser refroidir les soupes et les sauces, puis retirer le gras de la surface.

Préparez les sauces avec un filet d'huile, de crème sure ou de lait.

Le bouillon de légumes et de rôti peut être accompagné d'une purée de légumes ou de pommes de terre crues râpées pour un régime faible en gras.

Placez du papier sulfurisé ou du film plastique sur la plaque à pâtisserie pour éviter de graisser.

Ajoutez simplement un petit morceau de beurre et des herbes fraîches aux plats de légumes et bientôt vos yeux mangeront aussi.

Nouez les plats de crème avec la gélatine.

ALIMENTATION FAIBLE EN GRAS: QUELLE EST-ELLE VRAIMENT SAINE?

Depuis longtemps, les experts en nutrition sont convaincus qu'une alimentation faible en gras est la clé d'une silhouette mince et de la santé. Le beurre, la crème et la viande rouge, par contre, étaient considérés comme un danger pour le cœur, les valeurs sanguineset les escaliers. Cependant, de plus en plus d'études suggèrent que la graisse n'est pas aussi mauvaise qu'elle l'est. Contrairement à un plan nutritionnel à faible teneur en matières grasses, les sujets testés pourraient, par exemple, s'en tenir à un menu méditerranéen avec beaucoup d'huile végétale et de poisson, être en meilleure santé et ne pas grossir.

En comparant différentes études sur les graisses, les chercheurs américains ont constaté qu'il n'y avait aucun lien entre la consommation de graisses saturées et le risque de maladie coronarienne. Il n'y avait pas non plus de preuve scientifique claire que les régimes pauvres en graisses prolongeaient la vie. Seules les graisses dites trans, qui sont produites, entre autres, lors de la friture et du durcissement partiel des graisses végétales (dans les frites, les chips, les produits de boulangerie prêts à l'emploi, etc.), ont été classées comme dangereuses par les scientifiques.

Ceux qui mangent uniquement ou principalement des aliments faibles en gras ou sans gras sont susceptibles de manger plus consciemment en général, mais courent le risque de consommer trop peu de «bons gras». Il existe également un risque de carence en vitamines liposolubles, dont notre corps a besoin pour absorber les graisses.

Régime faible en gras: l'essentiel

Un régime faible en gras vous oblige à prendre soin des aliments que vous avez l'intention de consommer. En conséquence, vous serez probablement plus conscient des achats, de la cuisine et des repas.

Pour perdre du poids, cependant, ce n'est pas principalement la provenance des calories qui compte, mais le fait que vous consommez moins de calories par jour que vous n'en utilisez. Plus encore: les graisses (essentielles) sont nécessaires à la santé globale, car sans elles, le corps ne peut pas utiliser certains nutriments et ne peut pas effectuer certains processus métaboliques.

En résumé, cela signifie: Un régime pauvre en graisses peut être un moyen efficace de contrôler le poids ou de compenser l'indulgence des graisses. Il n'est pas recommandé d'abandonner complètement les graisses alimentaires.

SALADE DE COURGES

Serevings: 2

INGRÉDIENTS

- 1 pc courgette
- 1 pc pomme
- 2 pièces Oignon de printemps
- 1 prix sel
- 2 cuillères à soupe Menthe fraîche

PRÉPARATION

Râper grossièrement les courgettes nettoyées et lavées dans un bol et assaisonner de sel. Laisser infuser un peu et verser l'eau obtenue.

Ensuite, épluchez la pomme et râpez-la avec les courgettes. Lavez et épluchez l'oignon et coupez-le en rondelles. Ajoutez enfin la menthe hachée dans la salade.

ASSAISONNER LES ZUCCHINI

S.

Serevings: 2

INGRÉDIENTS

- 3 cuillères à soupe Crème aigre
- 2 cuillères à soupe Mayonnaise, faible en gras
- 2 cuillères à soupe Courgettes, râpées
- 2 cuillères à soupe Oignon râpé
- 1 prix sel

PRÉPARATION

Dans un bol, râper finement les courgettes lavées et l'oignon pelé. Mélangez ensuite la mayonnaise et la crème sure et assaisonnez bien avec du sel et du poivre.

SALADE DE PELUCHE AVEC FETA

Serevings: 4

INGRÉDIENTS

- 1 pc Pastèque
- 1 pc Concombre
- 150 G Feta
- 1 Fédération Menthe fraîche

pour l'assaisonnement

- 2 cuillères à soupe mon chéri
- 1 pc Citron vert, le jus de celui-ci
- 1 prix sel

PRÉPARATION

Pour cette salade fruitée, coupez d'abord la pastèque en deux et en quatre, retirez la pulpe de la peau puis coupez-la en cubes.

Hachez grossièrement le fromage feta, lavez les feuilles de menthe et coupez-les en petits morceaux. Lavez le concombre, retirez la tige et coupez-le en petits morceaux.

Ensuite, mettez les morceaux de melon avec la feta, les morceaux de concombre et les feuilles de menthe dans un bol et mélangez bien.

Pour la vinaigrette, mélanger le miel avec le jus de citron vert et le sel et verser sur la salade.

SAUCE ENTIÈRE AUX POMMES DE TERRE ET TOMATES

Serevings: 4

INGRÉDIENTS

- 750 G Pommes de terre, cireuses
- 2 l De l'eau pour faire bouillir les pommes de terre
- 1,5 TL Sel, pour cuire les pommes de terre
- 750 G tomates
- 2 cuillères à soupe Gomasio, sel de sésame
- 1 pc oignon
- 1 pc gousse d'ail
- 1 cuillère à soupe margarine
- 2 cuillères à soupe Basilic séché
- 100 GRAMMES Flocons d'amande
- 1 cuillère à soupe Margarine, pour le moule

PRÉPARATION

Épluchez d'abord les pommes de terre, lavez-les, coupez-les en tranches, faites-les cuire dans une casserole avec de l'eau salée pendant environ 10 minutes puis égouttez l'eau.

En attendant, lavez les tomates, retirez les pousses et coupez-les en tranches de l'épaisseur des pommes de terre.

Ensuite, épluchez l'oignon et l'ail et coupez-les en petits cubes.

Faire fondre la margarine (ou le beurre) dans une casserole et faire revenir l'oignon et les morceaux d'ail à feu doux pendant environ 5 minutes.

Graisser maintenant un plat de cuisson avec de la margarine et déposer les tranches de tomates et les pommes de terre en couches alternées; Saupoudrez chaque couche d'un peu de Gomasio. Préchauffez maintenant le four à 220 ° C au-dessus et au-dessous.

Répartissez ensuite uniformément les morceaux d'oignon et d'ail cuit à la vapeur, le basilic et les amandes effilées sur la cocotte.

Enfin, faites cuire la cocotte entière avec les pommes de terre et les tomates au four préchauffé pendant environ 10 minutes.

BÂTONNETS DE BLÉ ENTIER

S.

Serevings: 1

INGRÉDIENTS

- 320 G farine complète
- 0,5 pièce levure chimique
- 1 TL sel
- 140 G quark faible en gras
- 7 cuillères à soupe Huile de tournesol
- 5 cuillères à soupe lait
- 3 cuillères à soupe Lait pour le brossage

PRÉPARATION

Mettez la farine complète, la levure chimique et le sel dans un bol, mélangez et mélangez avec le fromage blanc, l'huile et le lait jusqu'à obtenir une pâte lisse.

Maintenant, façonnez la pâte en un rouleau et coupez 40 morceaux égaux avec un couteau. Façonnez chaque morceau de pâte en un bâton long et fin.

Placez-les sur une plaque à pâtisserie tapissée de papier sulfurisé et badigeonnez de lait.

Stangerl complet dans un four préchauffé à 180 ° C (air chaud) (une seule assiette) Cuire au four environ 20 minutes.

Ragoût de chou VÉGÉTARIEN POINT

Serevings: 4

INGRÉDIENTS

- 1 kg chou
- 300 GRAMMES Pommes de terre, généralement cireuses, petites
- 2 pièces Oignons
- 1 Stg Poireaux, poireaux
- 2 cuillères à soupe Huile de colza, pour le pot
- 1 l Bouillon de légumes, non salé

Pour les épices

- 2 pièces Gousses d'ail
- 2 cuillères à soupe sel de mer
- 0,5 TL Poivre, blanc, fraîchement moulu
- 0,5 TL Noix de muscade, fraîchement râpée
- 1 TL Graines de fenouil

- 1 TL Graines de cumin
- 1 pc Bâton de cannelle, bébé
- 1 pc feuille de laurier
- 1 prix Du sel de mer, juste assez

PRÉPARATION

Épluchez et coupez les oignons et l'ail en dés. Épluchez le poireau, coupez-le dans le sens de la longueur, lavez-le bien et coupez-le en cubes.

Ensuite, coupez le chou pointu en quatre dans le sens de la longueur, retirez la tige et coupez le chou en petits morceaux. Épluchez et lavez les pommes de terre et coupez-les en cubes de 2 cm.

Chauffer l'huile de colza dans une grande casserole et faire revenir l'oignon et les cubes d'ail environ 3-4 minutes.

Ajoutez ensuite le chou pointu, les pommes de terre et le poireau. Puis assaisonner avec du sel de mer, du poivre et de la muscade et ajouter les graines de fenouil, les graines de cumin, le bâton de cannelle et le laurier et faire sauter brièvement.

À ce stade, versez le bouillon de légumes et laissez mijoter le ragoût de chou végétarien pendant environ 25 minutes.

Enfin, prenez la feuille de laurier et le bâton de cannelle. Assaisonnez à nouveau le ragoût de sel de mer et servez chaud.

SOLYANKA VÉGÉTARIEN

S.

Serevings: 2

INGRÉDIENTS

- 200 G Tofu fumé
- 2 pièces Paprika, rouge et jaune
- 2 pièces Oignons
- 200 G Pâte de tomate
- 6 pièces cornichons
- 150 ml Eau marinée
- 800 ml Bouillon de légumes, chaud
- 1 TL Cassonade, cassonade
- 1 TL Jus de citron
- 1 TL Poudre de paprika, chaude comme une rose
- 1 prix Poivre, noir, moulu
- 125 ml Crème fouettée ou crème de soja

- 1 prix sel
- 2 cuillères à soupe Persil haché
- 5 cuillères à soupe L'huile de colza

PRÉPARATION

Couper en deux, évider, laver les poivrons et les couper en cubes. Coupez également le tofu fumé en cubes.

Épluchez les oignons et coupez-les en petits morceaux. Coupez les cornichons en petits morceaux.

Ensuite, faites chauffer l'huile de canola dans une casserole et faites frire les cubes de tofu pendant environ 6 à 8 minutes jusqu'à ce qu'ils soient croustillants et dorés.

Ajouter ensuite l'oignon et le poivron coupé en dés au tofu et faire revenir environ 5 minutes. Ajouter 140 grammes de concentré de tomate et cuire 1 minute.

Versez maintenant le bouillon de légumes, ajoutez les concombres marinés, l'eau de concombre marinée et le reste de la pâte de tomate et portez à ébullition pendant 1 minute.

Assaisonnez ensuite la solyanka végétarienne avec du sel, du poivre, de la cassonade et du paprika en poudre et laissez mijoter pendant environ 45 à 55 minutes.

Arrosez la soupe finie de crème fouettée et de jus de citron et ajoutez le persil haché juste avant de servir.

POIVRE VEGAN CHILI

S.

Serevings: 4

INGRÉDIENTS

- 120 G Granulés de soja
- 500 ml Bouillon de légumes, chaud
- 3 cuillères à soupe L'huile de colza
- 2 pièces Oignons
- 0,5 TL Paprika en poudre, épicé
- 0,5 TL Flocons de piment
- 1 pc gousse d'ail
- 50 GRAMMES Pâte de tomate
- 1 boîte Tomates, á 400 g
- 250 G haricots rouges
- 1 boîte Maïs, á 400 g
- 1 TL sel

- 1 TL du sucre
- 0,5 TL Poivre, noir, moulu

PRÉPARATION

Tout d'abord, faites chauffer le bouillon de légumes et faites-y tremper les granules de soja pendant environ 8 à 10 minutes. Versez ensuite au tamis, récupérez le bouillon et égouttez bien les granulés.

Pendant ce temps, épluchez et coupez l'oignon et l'ail en dés. Faites chauffer l'huile dans une casserole basse et faites revenir les granules de soja avec les cubes d'oignon pendant environ 5 minutes.

Ajoutez ensuite la pâte de tomate et faites cuire 1 minute. Mélangez l'ail, le paprika et les flocons de piment.

Maintenant, égouttez les haricots et le maïs et ajoutez-les avec les tomates et le bouillon et laissez mijoter le piment végétalien à feu doux pendant environ 20-25 minutes.

Enfin assaisonner de sel, poivre et sucre, porter à ébullition 1 minute et servir.

TREMPETTE VEGAN TOMATES

S.

Serevings: 8

INGRÉDIENTS

- 15 cuillères à soupe Pâte de tomate
- 15 cuillères à soupe vinaigre de cidre de pomme
- 250 G du sucre
- 1 prix sel
- 1 prix poivre

PRÉPARATION

Prenez d'abord une casserole, ajoutez la pâte de tomate, le vinaigre et le sucre et portez à ébullition en remuant à feu moyen.

Ensuite, laissez refroidir, assaisonnez de sel et de poivre et servez dans un bol.

MANGUE LASSI VEGAN

S.

Serevings: 2

- **INGRÉDIENTS**
- 1 pc Mangue mûre
- 300 GRAMMES Yaourt au lupin
- 150 ml l'eau
- 1 cuillère à soupe Sirop d'agave

PRÉPARATION

Épluchez la mangue mûre, retirez la pulpe de la pierre et coupez-la en gros morceaux.

Mettez les morceaux de mangue avec le yaourt au lupin, l'eau et le sirop d'agave dans un mixeur et mixez-les finement.

Lassi à la mangue vegan farci au goût avec des glaçons dans des verres et garnir d'herbes fraîches.

|

POT DE STOCK VEGAN

S.

Serevings: 4

INGRÉDIENTS

- 4 pièces Aubergine
- 2 pièces Piments rouges et rouges
- 4 pièces gousse d'ail
- 4 pièces feuille de laurier
- 4 pièces Paprika, coloré
- 1 pc oignon
- 750 ml Bouillon de légumes
- 2 cuillères à soupe huile d'olive
- 1 prix sel
- 1 prix Poivre du moulin
- 1 prix Poudre de paprika, chaude comme une rose
- 300 GRAMMES pommes de terre

PRÉPARATION

Épluchez d'abord l'oignon et les gousses d'ail et coupez-les en petits morceaux. Ensuite, lavez les aubergines et coupez-les en tranches. Couper en deux, retirer le cœur, laver et couper le poivron en lanières.

Twist, laver et couper les piments en petits morceaux. Épluchez les pommes de terre et coupez-les en cubes.

Faites maintenant chauffer l'huile d'olive dans une casserole à feu moyen et faites rôtir l'oignon et l'ail coupés en dés.

Ajouter ensuite les aubergines tranchées, les lanières de paprika et le poivron rouge et faire revenir brièvement.

Ajoutez maintenant les feuilles de laurier et les pommes de terre en dés, versez le bouillon de légumes et laissez mijoter pendant environ 25 minutes.

Selon votre goût, assaisonnez le pot de légumes végétalien avec du sel, du poivre et de la poudre de paprika et servez.

YOGOURT VEGAN SURGELÉ

S.

Serevings: 4

INGRÉDIENTS

- 6 cuillères à soupe sirop d'érable
- 6 cuillères à soupe Cuisson à l'avoine
- 400 G yogourt végétalien (de votre choix)
- 4 cuillères à soupe Boisson à l'avoine

PRÉPARATION

Pour commencer, ajoutez le yogourt végétalien, la boisson à l'avoine, le sirop d'érable et le lait de coco dans le mélangeur.

Mélangez bien le tout pendant une minute puis mettez dans la sorbetière pendant 40 minutes.

Enfin, mettez la glace au congélateur et laissez-la reposer au congélateur pendant au moins 20 minutes.

CRÈME DE FROMAGE VEGAN À BASE DE CAJOU

Serevings: 5

INGRÉDIENTS

- 250 G Noix de cajou, naturelles
- 2 cuillères à soupe Flocons de levure (de Raiponce)
- 4 cuillères à soupe vinaigre de cidre de pomme
- 2 cuillères à soupe Jus de citron, en bouteille ou tout droit
- 1 prix sel et poivre
- 0,5 Fédération Ciboulette fraîche

PRÉPARATION

Pour commencer, mettez les noix de cajou dans un grand bol et remplissez-le avec suffisamment d'eau pour couvrir les grains. Maintenant, laissez tout tremper pendant la nuit.

Ensuite, égouttez les noix de cajou et mélangez-les avec les flocons de levure, le vinaigre de cidre de pomme, le jus de citron, l'eau, le sel et le poivre dans un mélangeur pendant environ une minute.

Pendant ce temps, lavez, séchez et hachez finement la ciboulette. Mélangez ensuite la masse du batteur avec la ciboulette dans un bol, assaisonnez le tout à nouveau avec du sel et du poivre et le fromage à la crème végétalien à base de cajou est prêt.

CRÈME DE CHAMPIGNON VEGAN

S.

Serevings: 4

INGRÉDIENTS

- 200 G Champignons
- 2 pièces Oignons
- 100 ml Crème de soja
- 0,25 TL sel
- 0,25 TL poivre
- 2 cuillères à soupe ciboulette, hachée
- 2 cuillères à soupe Flocons de levure
- 1 cuillère à soupe Jus de citron
- 1 coup huile d'olive
- 1 cuillère à soupe Beurre d'amande

PRÉPARATION

Pour commencer, faites chauffer l'huile d'olive dans une poêle, nettoyez les champignons, coupez-les en fines tranches et faites-les frire dans une poêle avec l'huile d'olive pendant environ 10 minutes jusqu'à ce que tout le liquide se soit évaporé.

Pendant ce temps, épluchez les oignons, coupez-les en cubes et placez-les dans un bol avec la crème de soja, le beurre d'amande et le jus de citron.

Retirez ensuite les champignons de la poêle, ajoutez-les dans le bol et ajoutez les flocons de levure, le sel, le poivre et la ciboulette.

Enfin, mettez tous les ingrédients dans un mixeur et mélangez les champignons vegan à tartiner en une masse crémeuse.

CRÈME VEGAN À LA BETTERAVE ET AU CHEVAL

Serevings: 8

INGRÉDIENTS

- 100 GRAMMES Lupins doux, moulus
- 2 cuillères à soupe Tahini (champignon de sésame)
- 4 cuillères à soupe huile d'olive
- 1 TL Jus de citron
- 1 prix sel
- 1 prix poivre
- 1 noeud Betterave, précuite
- 1 TL Crème de raifort

PRÉPARATION

Préparez d'abord les lupins sucrés broyés selon les instructions sur l'emballage.

Ensuite, laissez refroidir un peu les lupins et mélangez-les finement avec le tahini, l'huile d'olive et le jus de citron. Puis assaisonnez de sel et de poivre.

Épluchez les betteraves, coupez-les en gros morceaux, combinez-les avec les lupins avec le raifort et à nouveau avec la purée.

Enfin, remplissez la crème végétalienne de betterave et de raifort dans un verre propre et refermable et réfrigérez.

AVOINE DE NUIT VEGAN AUX FRAISES

Serevings: 4

INGRÉDIENTS

- 200 G gruau
- 500 ml Lait d'amande
- 500 G Des fraises
- 4 TL mon chéri

PRÉPARATION

Mélangez les flocons d'avoine avec le lait d'amande la veille et laissez gonfler une nuit au réfrigérateur.

Le lendemain matin, divisez l'avoine pour la nuit dans quatre verres. Lavez, séchez et coupez en quartiers les fraises fraîches.

Pliez les 3/4 du mélange de fraises dans l'avoine pendant la nuit et utilisez 1/4 pour la garniture.

Enfin, assaisonnez l'avoine pour la nuit avec du miel si vous le souhaitez.

MOUSSAKA VEGAN

S.

Serevings: 4

INGRÉDIENTS

- 300 GRAMMES Pommes de terre, cireuses
- 400 G aubergine
- 300 GRAMMES courgette
- 2 pièces Tomates, super
- 0,5 TL Sel, pour l'eau de cuisson
- 1 cuillère à soupe L'huile d'olive, pour la forme
- 1 prix sel
- pour la sauce tomate
- 2 pièces Gousses d'ail
- 2 pièces échalote
- 3 cuillères à soupe huile d'olive
- 2 cuillères à soupe Pâte de tomate

- 400 G Tomates, hachées, en conserve
- 1 prix du sucre
- 400 ml Bouillon de légumes, chaud
- 2 TL Feuilles de thym hachées
- 1 TL Paprika en poudre, épicé
- 1 prix Poudre de cannelle
- 0,5 TL sel
- 1 prix Poivre, noir, moulu

pour la béchamel

- 50 GRAMMES Farine
- 50 GRAMMES Margarine de légumes
- 350 ml Boisson au soja
- 1 prix sel
- 1 prix Muscade, râpé
- 1 prix Poivre, blanc, moulu

PRÉPARATION

Tout d'abord, épluchez, lavez et coupez en fines tranches les pommes de terre. Lavez et nettoyez les aubergines et les courgettes, coupez-les en fines tranches et saupoudrez-les de sel.

Ensuite, lavez les tomates, retirez la tige et coupez-les en tranches.

Porter à ébullition l'eau et un peu de sel dans une casserole, ajouter les tranches de pommes de terre et cuire à feu moyen pendant environ 8 minutes. Puis égouttez et égouttez bien.

Pour la sauce tomate, retirer l'échalote et l'ail et hacher finement.

Chauffer l'huile d'olive dans une poêle, faire revenir l'ail et les échalotes pendant environ 2 minutes jusqu'à ce qu'elles soient translucides et incorporer la pâte de tomate.

Puis déglacer avec le bouillon de légumes, ajouter les tomates en conserve et porter à ébullition 1 minute. Ensuite, baissez le feu, assaisonnez avec le sucre, le thym, la cannelle, le paprika en poudre, le sel et le poivre et laissez mijoter pendant environ 5 minutes.

Pendant ce temps, préchauffez le four à 180 ° C (four à convection 160 ° C) et graissez un plat de cuisson avec de l'huile d'olive.

Placez maintenant la moitié des tranches d'aubergine, de pomme de terre et de courgette dans le moule et versez dessus la sauce tomate. Disposer les tranches de légumes restantes et recouvrir du reste de la sauce. Enfin, posez les tranches de tomates sur le dessus.

Pour la béchamel, faites fondre la margarine dans une casserole, ajoutez la farine en remuant constamment et faites suer pendant environ 2 minutes.

Versez ensuite la boisson de soja et faites cuire pendant environ 3-4 minutes, en remuant, jusqu'à ce que la sauce soit épaisse et lisse. Enfin assaisonner la sauce avec du sel, du poivre et de la muscade.

Versez maintenant la béchamel sur la moussaka végétalienne et faites cuire sur la grille centrale au four préchauffé pendant environ 45 minutes.

SOUPE AUX LENTILLES VEGAN

S.

Serevings: 4

INGRÉDIENTS

- 250 G Lentilles, brunes
- 1 Stg Poireau
- 2 pièces Carottes
- 1 pc oignon
- 2 l Bouillon de légumes, chaud
- 3 pièces Pommes de terre, cireuses
- 1 cuillère à soupe Huile végétale
- 1 prix sel
- 1 prix Poivre, noir, moulu
- 1 prix du sucre
- 2 cuillères à soupe Persil haché

PRÉPARATION

Épluchez d'abord les pommes de terre et les carottes, lavez-les et coupez-les en cubes. Épluchez l'oignon et hachez-le finement.

Ensuite, nettoyez le poireau, lavez-le soigneusement et coupez-le en fines tranches. Mettez les lentilles dans une passoire, rincez-les à l'eau froide et égouttez-les.

Faites chauffer l'huile dans une marmite à bouillon et faites dorer les lentilles, les carottes, les oignons et les poireaux pendant environ 1 minute. Versez le bouillon de légumes et portez à ébullition.

Dès que la soupe bout, baisser la température, couvrir et laisser mijoter environ 15 minutes.

Ajoutez ensuite les cubes de pommes de terre à la soupe et laissez mijoter encore 15 minutes. Enfin assaisonner avec du sel, du poivre et du sucre.

Remplissez la soupe aux lentilles végétalienne finie dans les bols, saupoudrez-la de persil et dégustez.

SOUPE VEGAN À LA CITROUILLE

S.

Serevings: 4

INGRÉDIENTS

- 1 kg Citrouille d'Hokkaido
- 300 gl patate douce
- 500 ml Bouillon de légumes, chaud
- 1 boîte Lait de coco, non sucré, á 400 ml
- 1 pc oignon
- 2 pièces Gousses d'ail
- 1 cuillère à soupe Huile de noix de coco
- 15 G Gingembre frais
- 1 TL Poudre de paprika, noble sucré
- 0,5 TL Curcuma
- 0,5 TL Coriandre moulue
- 1 prix Poivre, noir, fraîchement moulu

- 1 prix sel
- 2 cuillères à soupe Huile d'olive, pour le brossage
- 2 cuillères à soupe Persil haché

PRÉPARATION

Préchauffer d'abord le four à 200 ° C au-dessus / en dessous et tapisser une plaque à pâtisserie de papier sulfurisé.

Ensuite, lavez la patate douce et piquez-la plusieurs fois avec une fourchette. Lavez la citrouille, coupez-la en deux et grattez les graines, y compris les fibres. Coupez la citrouille en quartiers.

Mettre les pommes de terre et la citrouille en quartiers sur la plaque à pâtisserie et badigeonner d'huile d'olive. Cuire au four préchauffé sur la grille centrale pendant environ 40 à 45 minutes. Sortez ensuite du four, laissez refroidir 10 minutes, épluchez et coupez les patates douces en dés.

Épluchez et hachez finement l'oignon et l'ail. Épluchez le gingembre et hachez-le finement. Chauffer l'huile dans une casserole à feu moyen et faire revenir l'oignon et les cubes d'ail pendant environ 2 minutes.

Ajoutez maintenant le gingembre et faites-le frire pendant 1 minute. Ajouter les pommes de terre, la citrouille, le paprika en poudre, le curcuma et la coriandre, verser le lait de coco et le bouillon et porter le tout à ébullition. Porter le contenu de la casserole à ébullition pendant 1 minute, baisser la température et laisser mijoter encore 10 minutes.

Mélangez finement à l'aide d'un bâton de coupe. Si la soupe est encore trop épaisse, ajoutez un peu de bouillon. Assaisonnez avec du sel et du poivre.

Remplissez de soupe de potiron végétalienne dans des bols préchauffés, saupoudrez de persil et dégustez.

GUACAMOLE VEGAN

S.

Serevings: 4

INGRÉDIENTS

- 2 pièces Avocat
- 2 pièces Citron vert, le jus
- 3 pièces gousse d'ail
- 1 TL Poudre de piment, délicate
- 1 prix sel
- 1 prix Poivre du moulin

PRÉPARATION

Couper les avocats en deux, retirer le noyau et mélanger la pulpe avec le jus de citron vert, l'ail pressé et le chili en poudre à l'aide d'un mixeur.

Assaisonner au goût avec du sel et du poivre avant de servir.

SOUPE À LA CRÈME VEGAN BROCOLI AUX HARICOTS BLANCS

Serevings: 4

INGRÉDIENTS

- 1 kpf brocoli
- 400 G haricots blancs, précuits
- 1 Stg Poireau
- 2 pièces Gousses d'ail
- 800 ml Bouillon de légumes
- 1 TL sel
- 0,5 TL Poivre, fraîchement moulu
- 0,5 TL Poudre de paprika

PRÉPARATION

Nettoyez d'abord le poireau, lavez-le bien et coupez-le en fines tranches. Épluchez et coupez l'ail en dés. Nettoyez les brocolis, coupez-les en fleurettes et lavez-les.

Faites ensuite revenir les poireaux et l'ail avec un filet de bouillon de légumes dans une grande casserole à feu moyen jusqu'à ce qu'ils soient translucides.

Ajoutez ensuite les fleurons de brocoli et faites cuire environ 5 minutes.

Ajouter ensuite les haricots blancs et le bouillon de légumes, porter à ébullition, assaisonner de sel, poivre et paprika et laisser mijoter environ 10 minutes jusqu'à ce que le brocoli soit cuit.

Enfin, mélangez la soupe avec un mélangeur à main jusqu'à ce qu'elle soit crémeuse et ajoutez un peu plus d'assaisonnement si nécessaire.

SAUCE À LA VANILLE SANS SUCRE

Portions: 4

INGRÉDIENTS

- 500 ml lait
- 1,5 cuillère à soupe amidon alimentaire
- 1 pc jaune d'œuf
- 1 pc Gousse de vanille
- 3 Tr Stevia, édulcorant liquide au goût

PRÉPARATION

Mettez d'abord la fécule de maïs dans un bol. Ajoutez ensuite le jaune à la fécule de maïs et battez avec le fouet d'un batteur à main pendant environ 2 minutes.

Ajoutez ensuite environ 6-7 cuillères à soupe de lait et battez encore 3-4 minutes.

Ensuite, coupez la gousse de vanille, grattez la pulpe et ajoutez-la au lait d'œuf. Mélangez avec le fouet pendant encore une minute.

À ce stade, faites chauffer le reste du lait dans une casserole, portez à ébullition pendant 1 minute puis retirez du feu. Incorporer le lait d'amidon vanillé au lait chaud, bien mélanger et remettre sur le feu.

La sauce à la vanille sans sucre peut, en remuant encore une fois, faire bouillir 1 minute et faire attention à ce qu'elles ne brûlent pas. Enfin, selon votre goût, ajoutez 2-3 gouttes de douceur liquide et laissez refroidir la sauce.

FENOUIL CUIT AU MOZZARELLA

Serevings: 4

INGRÉDIENTS

- 4 noeuds fenouil
- 2 pièces tomates
- 4 cuillères à soupe Jus de citron
- 250 G Fromage mozzarella
- 1 pc feuille de laurier
- 1 au milieu Romarin
- 1 au milieu thym
- 150 ml Vin blanc sec
- 350 ml Bouillon de légumes
- 1 prix sel
- 1 prix Poivre moulu
- 2 cuillères à soupe Huile, pour graisser

PRÉPARATION

Préchauffez d'abord le four à 200 ° C haut et bas / convection 180 ° C et graissez un plat de cuisson avec un filet d'huile.

Ensuite, lavez et séchez le fenouil, coupez les extrémités dures et coupez-les en fines lanières.

Maintenant, mettez le vin avec le bouillon de légumes dans une casserole, portez le tout à ébullition et faites cuire à feu moyen pendant 4-6 minutes.

Pendant ce temps, lavez, séchez et hachez finement le romarin et le thym.

Ajoutez ensuite les herbes hachées avec la feuille de laurier et une pincée de sel et de poivre dans la casserole.

Ajoutez ensuite le fenouil à la casserole et faites cuire pendant 4 à 6 minutes.

Pendant ce temps, égouttez la mozzarella et coupez-la en tranches.

Ensuite, lavez les tomates, séchez-les et coupez-les également en fines tranches.

À l'étape suivante, égouttez les fenouils, égouttez-les bien, mettez-les dans la casserole et saupoudrez-les de jus de citron.

Enfin, mettez les tomates et la mozzarella dans la poêle et faites cuire le fenouil au four environ 10 minutes.

PÂTE À LA LEVURE FANTASTIQUE DOUCE

Serevings: 1

- **INGRÉDIENTS**
- 500 G Farine d'épeautre type 630
- 250 ml Boisson au soja
- 120 G Sucre de canne brut
- 1 prix sel
- 2 cuillères à soupe Huile de tournesol
- 42 G Levure fraîche

PRÉPARATION

Émiettez d'abord le cube de levure dans un bol, ajoutez la boisson de soja et 2 cuillères à soupe de sucre de canne brut, mélangez brièvement et laissez reposer environ 10 minutes.

Ajoutez ensuite la farine, le sel, l'huile de tournesol et le sucre de canne brut restant et mélangez bien le tout pendant quelques minutes, idéalement avec un robot culinaire ou un batteur lent avec un crochet pétrisseur.

Dès qu'une pâte lisse et uniforme s'est formée, humidifiez un torchon propre et placez-le sur le bol. Enfin, mettez-le dans un endroit chaud pendant environ quatre heures afin que la pâte puisse lever en paix.

Selon la recette supplémentaire pour laquelle la pâte à levure merveilleusement sucrée est utilisée, le temps de cuisson est d'environ 30 minutes à 180 ° C (convection).

SOUPE À LA TOMATE

S.

Serevings: 4

INGRÉDIENTS

- 1 l bouillon d'os léger
- 500 G tomates
- 60 G beurre
- 50 GRAMMES Système racinaire
- 1 pc oignon
- 40 G Farine
- 1 coup le vinaigre
- 1 TL du sucre
- 0,5 TL Poivres
- 1 TL sel
- 2 pièces Ail

PRÉPARATION

Épluchez ou nettoyez les racines, épluchez l'oignon et l'ail et coupez les ingrédients en petits morceaux. Rôtissez des grains de poivre avec un peu de beurre.

Faites légèrement frire le tout avec un peu de farine et versez sur 1 litre de bouillon d'os.

Puis déchirez les tomates pelées et incorporez-les dans le bouillon avec le concentré de tomates.

La soupe est cuite pendant encore 25 minutes avec du sel, du vinaigre et du sucre.

Enfin, filtrez finement la soupe aux tomates avec une passoire.

SOUPE DE TOMATES SANS SUCRE

Serevings: 2

INGRÉDIENTS

- 100 GRAMMES Maïs soufflé au micro-ondes, légèrement salé
- 3 pièces Carottes
- 10 pièces Cocktail, tomates rouges
- 0,5 l Bouillon de légumes
- 0,5 pièce oignon
- 1 prix sel
- 1 prix Poivre, noir, moulu

PRÉPARATION

Laissez d'abord gonfler le maïs soufflé au micro-ondes pendant environ 3-4 minutes, puis retirez-le et réservez.

Épluchez, lavez et râpez les carottes sur une râpe tranchante. Porter le bouillon de légumes à ébullition dans une casserole, ajouter les carottes et cuire environ 12 à 15 minutes jusqu'à ce qu'elles soient tendres.

Pendant ce temps, lavez les tomates et coupez-les en deux. Épluchez les oignons et coupez-les en fines tranches. Ajouter les tomates et les oignons à la soupe et laisser mijoter encore 30 minutes à feu doux.

Enfin, mélangez le tout finement avec un bâton de coupe et portez à ébullition encore une minute.

La soupe de tomates sans sucre à déguster avec sel et poivre et mise dans un plat chaud. Ajouter le maïs soufflé à la soupe comme garniture et servir.

SOUPE DE TOMATES AU RIZ

S.

Serevings: 4

INGRÉDIENTS

- 2 pièces oignon
- 2 cuillères à soupe L'huile d'olive, pour le pot
- 150 G Riz à grain long
- 1 l Jus de tomate
- 1 TL sel
- 1 prix poivre blanc
- 0,5 TL du sucre
- 3 cuillères à soupe Persil frais haché
- 0,5 TL Marjolaine, hachée finement

PRÉPARATION

Pour la soupe aux tomates accompagnée de riz, épluchez d'abord et hachez finement les oignons. Faites ensuite chauffer l'huile dans une casserole et faites-y dorer les morceaux d'oignon.

Ensuite, lavez le riz, ajoutez-le aux oignons et faites-le frire pendant 1 à 2 minutes.

Versez ensuite le jus de tomate, saupoudrez de marjolaine, sel et poivre, portez à ébullition et laissez mijoter à couvert pendant environ 15-20 minutes jusqu'à ce que le riz soit cuit.

Enfin assaisonner à nouveau la soupe avec du sel, du poivre et du sucre, saupoudrer de persil haché et servir garni d'une feuille de basilic.

SOUPE DE TOMATES À L'ORGE PERLE

Serevings: 2

INGRÉDIENTS

- 1 boîte Tomates, á 800 g
- 1 Fédération Soupe de légumes (céleri, carottes, poireaux)
- 1 pc oignon
- 1 pc gousse d'ail
- 75 G orge perlée
- 6 pièces feuilles de sauge
- 1 cuillère à soupe huile d'olive
- 750 ml Bouillon de légumes
- 6 cuillères à soupe Crème fraîche au fromage

- 4 cuillères à soupe Parmesan fraîchement râpé
- 1 prix sel
- 1 prix Poivre, noir, fraîchement moulu

PRÉPARATION

Épluchez d'abord les carottes et le céleri, puis lavez-les et coupez-les en cubes. Nettoyez le poireau, lavez-le bien et coupez-le également en cubes.

Épluchez l'oignon et l'ail et coupez-les en petits dés. Ensuite, lavez la sauge et coupez-la en fines lanières.

Ensuite, faites chauffer l'huile d'olive dans une casserole et faites revenir les légumes coupés en dés, l'oignon et l'ail pendant environ 3-4 minutes. Ajoutez ensuite les feuilles de sauge et l'orge perlé et faites sauter pendant 2-3 minutes.

Ajoutez maintenant le bouillon et le jus des tomates en conserve. Hachez grossièrement les tomates en conserve et ajoutez-les.

La soupe de tomates à l'orge perlé peut ensuite mijoter environ 30 minutes à température moyenne.

Enfin, incorporer la crème fraîche et le parmesan râpé dans la soupe, assaisonner de sel et de poivre et servir chaud.

SAUCE TOMATE AUX AUBERGINES

Serevings: 4

INGRÉDIENTS

- 2 pièces Aubergine, de taille moyenne
- 4 pièces Tomates, super
- 2 pièces Gousses d'ail
- 2 cuillères à soupe Basilic, haché
- 1 prix sel
- 1 TL huile d'olive
- 1 prix poivre

PRÉPARATION

Épluchez les gousses d'ail, passez-les au presse-ail et faites-les revenir légèrement dans une poêle avec l'huile.

Retirez les tiges des aubergines, épluchez-les, coupez-les en cubes et mélangez-les dans une casserole avec l'ail.

Ensuite, lavez les tomates, coupez-les en petits morceaux et mélangez-les également dans la casserole. Faites frire les légumes dans une poêle pendant environ 6 à 8 minutes, en remuant constamment.

Assaisonner ensuite avec du sel, du poivre et du basilic frais au goût et servir avec du pain blanc.

TOMATES FARCIES AUX ÉPINARDS

Serevings: 4

INGRÉDIENTS

- 4 pièces Tomates Steak de Boeuf
- 1 pc oignon
- 2 pièces Gousses d'ail
- 175 G Feuilles d'épinards
- 2 cuillères à soupe huile d'olive
- 60 G Fromage de chèvre
- 3 cuillères à soupe Fromage râpé (râpé)
- 1 prix sel et poivre
- 1 prix Noix de muscade (moulue)

PRÉPARATION

Coupez un couvercle sur les tomates lavées, grattez la pulpe avec une cuillère et placez les tomates dans un plat de cuisson huilé.

Lavez et égouttez les épinards.

Épluchez l'oignon et l'ail, hachez-les finement et faites-les revenir dans l'huile d'olive chaude jusqu'à ce qu'ils deviennent translucides. Ajoutez ensuite les épinards, le ragoût al dente et mélangez avec le fromage de brebis.

Assaisonnez ensuite le mélange d'épinards avec de la muscade, du sel et du poivre, versez les tomates, saupoudrez de fromage râpé et mettez les tomates farcies aux épinards dans le four préchauffé (180 ° C) pendant 10 minutes.

TOMATES ENVELOPPÉES DE CONCOMBRE

Serevings: 2

INGRÉDIENTS

- 8 pièces Tomates à cocktail
- 1 coup huile d'olive
- 2 pièces Concombres
- 1 prix Épices (sel, poivre, etc.)

PRÉPARATION

Retirez les extrémités du concombre et coupez-le en fines tranches dans le sens de la longueur. Placez les tranches de concombre sur le comptoir. Mettez une tomate sur chacun et enveloppez-le bien.

Pour que tout se tienne, il est fixé avec des cure-dents. Assaisonnez, badigeonnez d'huile d'olive et placez-les sur le gril chaud (5-7 min.)

BOL FROID POUR TOMATES

S.

Serevings: 4

INGRÉDIENTS

- 1 kg Tomates, en conserve, coupées en dés
- 4 pièces gousse d'ail
- 3 entre basilic
- 600 ml Bouillon de légumes
- 1 pc du jus d'orange
- 1 prix sel

PRÉPARATION

Dans un premier temps, épluchez et hachez finement l'ail, hachez également finement le basilic lavé.

Porter à ébullition les tomates, l'ail, le jus d'orange, le basilic et le bouillon dans une grande casserole et laisser mijoter quelques minutes à feu doux.

Mélangez ensuite la soupe avec un mixeur, assaisonnez de sel et couvrez et laissez refroidir pendant au moins 4 heures.

BÂTONNETS DE TOMATE ET DE CONCOMBRE

Serevings: 2

INGRÉDIENTS

- 8 pièces tomates cerises
- 1 prix sel
- 1 pc Concombre
- 1 prix Poivre (fraîchement moulu)
- 1 coup huile d'olive
- 8 pièces Cure-dent (à réparer)

PRÉPARATION

Lavez le concombre et coupez-le dans le sens de la longueur en tranches très fines avec un éplucheur de pommes de terre.

Posez ensuite les tranches de concombre sur le plan de travail et assaisonnez de sel et de poivre. Maintenant, posez les tomates lavées à une extrémité, roulez-les bien et fixez-les avec un cure-dent.

Puis badigeonner d'huile d'olive, placer sur le gril chaud (ou four / gril) et griller pendant environ 5 minutes.

SAUCE THAI AIGRE ET DOUCE

S.

Serevings: 4

INGRÉDIENTS

- 1 pc poivrons rouges, excellents
- 2 pièces Gousses d'ail
- 1 pc Piment
- 5 cuillères à soupe Vinaigre de riz
- 10 cuillères à soupe du sucre
- 250 ml l'eau

PRÉPARATION

Dans la première phase, lavez les poivrons, coupez-les en deux, retirez le cœur et coupez-les en petits morceaux, faites de même avec le piment.

Ensuite, épluchez l'ail, hachez-le grossièrement et mettez-le dans le mixeur avec les morceaux de poivre, les morceaux de piment, le vinaigre et l'eau. Mélangez ensuite le tout pendant environ une minute, puis versez-le dans une casserole.

Ajoutez maintenant le sucre, mélangez et laissez mijoter à feu doux en remuant jusqu'à ce que la sauce épaississe.

Ensuite, laissez refroidir et servez la sauce thaï aigre-douce finie dans un bol ou sur une assiette.

POMMES DE TERRE DOUCES AU FROMAGE DE COTTAGE

Serevings: 3

INGRÉDIENTS

- 2 pièces Patates douces
- 2 pièces Carottes
- 3 cuillères à soupe Feuilles de basilic
- 200 G Ricotta, fromage à la crème
- 1 prix sel
- 1 prix Poudre de paprika, noble sucré
- 1 prix Poivre moulu
- 3 cuillères à soupe Persil (frais

PRÉPARATION

Préchauffez d'abord le four à 200 ° C de chaleur supérieure et inférieure / 180 ° C d'air en circulation.

En attendant, lavez et épluchez les patates douces, coupez-les en 6 tranches ou en morceaux égaux, disposez-les sur une plaque à pâtisserie et faites cuire au four environ 10 minutes.

Pendant ce temps, lavez et épluchez les carottes et râpez-les finement dans un bol avec une râpe de cuisine.

Ensuite, lavez le basilic, secouez-le pour le sécher et hachez-le finement avec un couteau.

Ajoutez ensuite la ricotta dans le bol et mélangez avec le sel, le poivre, le paprika et le basilic.

Maintenant, lavez, séchez et hachez finement le persil.

Enfin, sortez les patates douces du four, badigeonnez de ricotta et garnissez de persil.

SALADE DE POMMES DE TERRE DOUCE AUX ÉPINARDS

Serevings: 4

INGRÉDIENTS

- 4 pièces   Patates douces de taille moyenne
- 150 G Épinards, jeunes
- 16 pièces   tomates cerises
- 80 G   pignons de pin
- 4 cuillères à soupe   huile d'olive
- 1 prix sel
- 1 prix poivre
- 1 pc   avocet

pour l'assaisonnement

- 3 cuillères à soupe   Miel, liquide

- 3 cuillères à soupe Vinaigre de vin rouge
- 2 cuillères à soupe huile d'olive
- 1 prix sel
- 1 prix poivre

PRÉPARATION

Tout d'abord, épluchez et lavez les patates douces et coupez-les en quartiers fins et uniformes.

Répartissez les épinards, lavez-les bien et séchez-les. Lavez les tomates cerises et coupez-les en deux.

Maintenant, faites griller les pignons de pin dans une poêle sans gras - remuez constamment, puis sortez-les de la casserole et laissez-les refroidir.

Faites maintenant chauffer 4 cuillères à soupe d'huile d'olive dans une poêle antiadhésive, faites revenir les quartiers de patates douces à feu moyen pendant environ 15 minutes et assaisonnez de sel et de poivre.

Ensuite, épluchez l'avocat, retirez le noyau et coupez-le en fines tranches.

Maintenant, mettez le miel, le vinaigre et l'huile d'olive dans un bol, battez bien avec le mélangeur et assaisonnez de sel et de poivre.

Enfin, étalez les épinards et l'avocat au centre des assiettes, puis décorez les patates douces avec les tomates, arrosez de vinaigrette et servez la salade de patates douces aux épinards saupoudrée de pignons de pin.

CHIPS DE CURRY DE POMME DE

S.

Serevings: 2

INGRÉDIENTS

- 2 pièces Patate douce, super
- 2 cuillères à soupe Huile, neutre
- 1 TL curry
- 1 TL sel
- 1 prix Poivre, fraîchement moulu

PRÉPARATION

Préchauffez le four à 180 degrés et couvrez une plaque à pâtisserie de papier sulfurisé.

Ensuite, lavez soigneusement la patate douce, coupez-la en fines tranches ou coupez-la en tranches et placez-la sur la plaque à pâtisserie.

Arroser d'huile et assaisonner de sel, poivre et curry, puis cuire les frites au curry au four chaud pendant 20 minutes.

CAROTTES DOUCES

S.

Serevings: 4

INGRÉDIENTS

- 700 G Carottes, petites
- 1 cuillère à soupe beurre
- 3 cuillères à soupe mon chéri

PRÉPARATION

Lavez et épluchez les carottes au préalable, couvrez d'un peu d'eau et faites cuire à feu doux.

Chauffer ensuite le beurre dans une poêle à feu moyen, ajouter le miel et les carottes et glacer les carottes en remuant constamment à feu doux. Cela prend environ 1 à 2 minutes.

NOURRITURE CRUE DE CITROUILLE DOUCE

S.

Serevings: 3

INGRÉDIENTS

- 1 pc Citrouille d'Hokkaido, bébé
- 1 prix Vanille moulue
- 1 prix Cannelle biologique, variété Ceylan
- 2 cuillères à soupe Sirop d'érable (plus si nécessaire)

PRÉPARATION

Lavez d'abord la citrouille, coupez-la en deux, retirez la pierre et râpez-la avec une râpe de cuisine.

Ensuite, mettez la pulpe dans un joli bol, ajoutez la vanille, le sirop d'érable et la cannelle et dégustez la citrouille crue sucrée finie.

SALADE DE CHOU CHINOIS DOUX ET AIGRE

Serevings: 2

INGRÉDIENTS

- 1 pc chou chinois

pour l'assaisonnement

- 2 cuillères à soupe sauce soja
- 1 TL mon chéri
- 1 cuillère à soupe Vinaigre de riz
- 2 pièces gousse d'ail

PRÉPARATION

Retirez la tige du chou chinois, lavez bien les feuilles et coupez-les en lanières. Ensuite, épluchez et hachez finement l'ail.

Mélangez ensuite une vinaigrette avec l'ail, la sauce soja, le vinaigre de riz et le miel.

Faire mariner la salade de chou chinois aigre-doux avec elle et laisser refroidir 15 minutes avant de servir.

TURBOT AUX ALGUES DE MER ET SALADE D'ORANGE

Serevings: 4

INGRÉDIENTS

- 1,5 carton Rhombe
- 50 GRAMMES Algues, séchées, par ex. Wakame, nouilles aux fruits de mer
- 2 pièces Des oranges
- 2 cuillères à soupe huile de sésame
- 2 TL Vinaigre de vin
- 2 TL Miel, liquide
- 2 msp sel
- 20 ml L'huile de colza
- 1 TL sel de mer
- 0,5 TL Poivre, noir, fraîchement moulu

PRÉPARATION

Filetez le turbot entier. Laisser la peau des deux filets côté clair et retirer la peau des deux filets côté foncé et granuleux.

Plongez ensuite les algues dans l'eau froide pendant 30 minutes, passez-les au tamis, rincez bien à l'eau froide et portez à ébullition dans une casserole avec beaucoup d'eau. Laisser mijoter 20 minutes, égoutter et laisser refroidir. Hachez grossièrement les algues et placez-les dans un bol.

Maintenant, retirez la peau des oranges avec un couteau bien aiguisé, retirez les filets et réservez. Pressez le jus de l'orange et ajoutez-le aux algues. Ajoutez également l'huile de sésame, le vinaigre et le miel d'algues et mélangez bien. Avant de servir, ajoutez les filets d'orange et assaisonnez avec 2 pincées de sel.

Coupez les filets de turbot en portions. Mettez l'huile de canola dans une poêle tapissée et déposez les filets (ceux avec la peau du côté peau) dessus. Ne pas assaisonner les filets à l'avance. Faites maintenant chauffer la poêle lentement mais régulièrement et laissez les filets reposer sur un côté jusqu'à ce qu'ils soient bien dorés et croquants (3-4 minutes).

Retournez ensuite les filets et baissez la température de la casserole. Continuez à cuire les filets à la température restante de la poêle jusqu'à ce qu'ils soient cuits et aient encore un cœur juteux. Assaisonner les filets de sel de mer et de poivre avant de servir.

Pour servir, disposez un peu de salade d'algues et d'orange au centre de l'assiette et ajoutez un morceau de filet fraîchement grillé.

STEAK EN CROÛTE DE MOUTARDE

S.

Serevings: 4

INGRÉDIENTS

- 2 cuillères à soupe chapelure
- 1 pc Oeuf
- 1 cuillère à soupe Noix, moulues
- 4 pièces Steaks de boeuf (environ 200 grammes chacun)
- 8 pièces Poivres
- 0,5 TL sel
- 4 cuillères à soupe moutarde
- 4 cuillères à soupe huile

PRÉPARATION

Lavez les steaks à l'eau froide et séchez-les. Frottez avec du poivre fraîchement moulu. Préchauffez le four à 200 degrés.

Faites dorer les steaks dans le beurre clarifié. Laisser reposer 2 minutes de chaque côté (tourner une seule fois).

Battre l'œuf avec du sel et du poivre au bain-marie jusqu'à ce qu'il soit mousseux. Incorporer la chapelure, les noix et la moutarde. Placer les steaks dans un plat de cuisson graissé, étendre le mélange de moutarde sur les steaks, mettre au four et cuire 5 minutes.

POIVRONS POINTS FARCIS AU TOFU

Serevings: 4

INGRÉDIENTS

- 8 pièces Poivrons pointus
- 200 ml Bouillon de légumes, pour la poêle
- 1 coup Arroser d'huile d'olive

pour la farce

- 4 pièces oignons de printemps
- 2 pièces gousse d'ail
- 10 pièces tomates cerises
- 1 cuillère à soupe L'huile d'olive, pour la poêle
- 160 G Tofu
- 200 G Pois chiches, en conserve
- 1 TL poudre de curry

- 0,5 TL Poudre de cumin
- 3 cuillères à soupe Jus de citron
- 1 cuillère à soupe Feuilles de menthe coupées en lanières
- 1 TL sel
- 0,5 TL poivre de Cayenne
- 120 G Yaourt nature

PRÉPARATION

Coupez un couvercle sur les poivrons et retirez les graines sans endommager la peau.

Ensuite, nettoyez et hachez finement les oignons nouveaux. Coupez les tomates cerises en très petits morceaux.

Épluchez maintenant l'ail, hachez-le finement et faites-le revenir avec les oignons nouveaux dans une casserole dans l'huile bouillante pendant 2 minutes. Ajoutez ensuite les morceaux de tomates et faites-les frire brièvement.

Coupez le tofu en petits morceaux et ajoutez-le à la poêle avec les pois chiches, portez brièvement à ébullition et assaisonnez avec le curry, les graines de cumin, le jus de citron, la menthe, le sel et le poivre de Cayenne.

Incorporez ensuite le yogourt et versez le mélange dans les poivrons (avec une buse à pipe) - remettez le couvercle du poivron.

Enfin, versez le bouillon de légumes dans un plat allant au four, mettez les poivrons farcis, un filet d'huile et faites cuire au four préchauffé à 180 degrés (feu vif-doux) pendant environ 30 minutes.

POIVRONS POINTS AVEC COUSCOUS

Serevings: 4

INGRÉDIENTS

- 3 pièces Poireau
- 120 G couscous
- 180 ml Bouillon de légumes
- 1 pc Citron
- 0,5 boîte Pois chiches, environ 150 g
- 2 cuillères à soupe huile d'olive
- 120 G tomates cerises
- 180 G Champignons, petits
- 4 pièces Poivrons pointus
- 20 G Parmesan fraîchement râpé

pour la sauce tomate

- 1 prix sel
- 1 prix poivre
- 2 pièces gousse d'ail
- 1 boîte Morceaux de tomate, environ 400 g
- 2 TL Origan séché
- 1 TL du sucre
- 2 cuillères à soupe L'huile d'olive, pour le pot
- 1 prix Poudre de chili

PRÉPARATION

Préchauffez d'abord le four à 200 ° C avec un ventilateur.

Ensuite, portez le bouillon de légumes à ébullition dans une casserole, retirez du feu, ajoutez le couscous et laissez-le tremper pendant environ 10 minutes - jusqu'à ce que le couscous ait absorbé le bouillon.

En attendant, nettoyez et lavez le poireau et coupez-le en rondelles. Lavez le citron à l'eau chaude, séchez-le, râpez finement la peau et pressez le jus du citron.

Égouttez les pois chiches au tamis, rincez-les à l'eau froide et égouttez-les bien.

Ajoutez maintenant la moitié des oignons nouveaux, des pois chiches, du jus de citron, du zeste de citron et de l'huile d'olive au couscous et mélangez - assaisonnez avec du sel et du poivre.

Pour la sauce tomate, épluchez l'ail, coupez-le en fines tranches, faites-le chauffer avec un filet d'huile dans une casserole et faites-le rôtir jusqu'à ce qu'il soit doré.

Ajoutez ensuite les morceaux de tomates (y compris le jus) de la boîte, portez à ébullition et assaisonnez avec de l'origan, du piment en poudre, du sucre, du sel et du poivre.

Maintenant, lavez les tomates cerises et coupez-les en deux. Épluchez et épluchez les champignons et coupez-les également en deux. Lavez les poivrons pointus, séchez-les, divisez-les en deux dans le sens de la longueur et retirez les graines.

Mettez ensuite la sauce tomate dans un plat allant au four, étalez les tomates cerises et les champignons coupés en deux.

Remplissez les moitiés de poivrons avec le mélange de couscous et disposez-les également dans la casserole - avec la garniture vers le haut.

Enfin, râpez finement le parmesan et saupoudrez-en les poivrons farcis. Mettez le plat au four et faites cuire environ 30 minutes.

CHOU POINTÉ AVEC PANSEMENT

Serevings: 4

INGRÉDIENTS

- 1 200 G chou
- 2000 ml Bouillon de légumes
- 2 Fédération un radis
- 2 cuillères à soupe câpres
- 0,5 Fédération persil
- 1 pc Oignon moyen
- 350 G Crème entière, yogourt crémeux
- 4 cuillères à soupe lait
- 2e prix sel
- 2e prix poivre
- 1 prix du sucre

PRÉPARATION

Retirez d'abord les feuilles extérieures fanées du chou pointu, puis lavez et coupez le chou en quartiers, retirez la tige et coupez-la en lanières.

Ensuite, le bouillon de légumes à bouillir dans une casserole et les morceaux de charbon de bois sont en 4 portions pendant environ 5 minutes blanchis. Retirer ensuite avec une cuillère à trous, passer au tamis, rincer à l'eau froide, laisser refroidir et égoutter.

Maintenant nettoyez, lavez et coupez les radis en cubes. Coupez les câpres en deux. Lavez le persil, secouez pour sécher, retirez les feuilles des tiges et coupez-les en lanières. Épluchez l'oignon et coupez-le en petits cubes.

Maintenant, mélangez bien le yogourt et le lait dans un bol, incorporez les radis, les câpres, le persil et les oignons et assaisonnez bien avec du sel, du poivre et du sucre.

Enfin, déposez le chou pointu sur 4 assiettes, disposez la sauce au centre et servez en saupoudrant d'un peu de poivre.

ASPERGES AU FILET DE SAUMON DE LA VAPEUR

Serevings: 4

INGRÉDIENTS

- 500 G Saumon
- 500 G Asperges blanches
- 1 prix poivre
- 1 prix sel
- 1 prix du sucre
- 1 cuillère à soupe Jus de citron
- 1 prix Cresson, haché finement, pour la garniture
- 1 pc Oignon de printemps

PRÉPARATION

Lavez d'abord les asperges blanches, coupez les pointes ligneuses inférieures, épluchez les asperges et mettez-les dans un cuit-vapeur perforé - saupoudrez d'un peu de sucre, de sel et de poivre. Si possible, vous devez choisir des tiges d'asperges à peu près de la même épaisseur pour qu'elles cuisent uniformément.

Ensuite, lavez le filet de saumon, séchez-le, saupoudrez d'un peu de jus de citron et saupoudrez de sel et de poivre.

Placez le saumon finement haché et les oignons de printemps dans un autre cuiseur vapeur perforé.

Placez maintenant les deux récipients pour le cuiseur vapeur dans le cuiseur vapeur et faites cuire à environ 90 degrés pendant environ 15 minutes.

Si les tiges d'asperges ne sont pas molles après la cuisson, retirez le poisson et laissez cuire les asperges encore quelques minutes.

ASPERGES DU RÉSERVOIR ROMAIN

Serevings: 2

INGRÉDIENTS

- 500 G Asperges blanches
- 1 prix sel
- 1 prix du sucre
- 3 cuillères à soupe Jus de citron
- 2 cuillères à soupe l'eau

PRÉPARATION

Au début, arrosez le Römertopf, c'est-à-dire mettez-le dans l'eau pendant au moins 10 minutes, cela remplira les pores de l'argile et de la vapeur sera produite pendant la cuisson.

Lavez les asperges, coupez les pointes dures et épluchez-les. Assaisonner avec du sel, du sucre et du jus de citron et placer dans le Römertopf.

Versez ensuite l'eau et mettez-la à couvert dans le four froid. À ce stade, chauffez l'air circulant à 190 degrés et faites cuire les asperges dans la casserole romaine pendant 60 minutes.

Conseils de recette

Si les pointes d'asperges sont très épaisses, le temps de cuisson peut être un peu plus long.

ASPERGES VAPEUR AU PESTO AIL SAUVAGE

Serevings: 4

INGRÉDIENTS

- 1 kg Asperges blanches
- 1 TL du sucre

pour le pesto à l'ail sauvage

- 30 G pignons de pin
- 80 G Feuilles d'ail sauvage
- 1 Fédération Persil haché grossièrement
- 30 G Fromage parmesan râpé
- 100 ml Huile d'olive vierge extra
- 1 TL Jus de citron
- 1 prix sel

- 1 prix poivre
- 1 pc Gousse d'ail, pelée

PRÉPARATION

Épluchez les asperges avec un couteau à asperges et coupez les extrémités ligneuses (environ 2-3 cm).

Faire bouillir les pelures d'asperges et les terminer dans une casserole avec de l'eau pendant 5 minutes.

Placez ensuite les asperges dans le vapeur perforé, ajoutez un peu de sucre et faites cuire à la vapeur pendant environ 10 minutes à 100 ° C. Pour ce faire, le cuiseur vapeur est rempli avec l'eau des asperges.

Pour le pesto à l'ail sauvage, faites d'abord griller les pignons de pin dans une poêle antiadhésive (sans gras).

Mélangez ou mixez ensuite l'ail sauvage lavé et émincé, la gousse d'ail pelée et le persil avec le parmesan, les pignons et l'huile.

Ajoutez enfin un peu de jus de citron, salez et poivrez et étalez le pesto sur les asperges chaudes.

ASSAISONNEMENT SIMPLE POUR

S.

Serevings: 1

INGRÉDIENTS

- 100 ml l'eau
- 3 cuillères à soupe Graines de tournesol
- 0,5 pièce Citron
- 1 pc gousse d'ail
- 2 cuillères à soupe 6 mélanges d'herbes
- 1 prix sel et poivre

PRÉPARATION

Tout d'abord, pressez un demi-citron, épluchez l'ail et hachez-le grossièrement.

Ensuite, mettez le jus de citron, l'ail, l'eau, les graines de tournesol, les herbes, le sel et le poivre dans un petit mélangeur et mélangez pendant 30 secondes.

VENTE SOUPE

S.

Portions: 4

INGRÉDIENTS

- Oignon PC
- 500 G céleri-rave
- 25 G beurre
- 700 ml Bouillon de légumes
- 200 ml Lait faible en gras
- 1 prix sel
- 1 prix poivre
- 1 cuillère à café Noix de muscade

PRÉPARATION

Lavez, épluchez et hachez le céleri. Épluchez les oignons, hachez-les finement et mélangez-les dans une casserole avec le beurre.

Ajouter ensuite le bouillon, le céleri, le sel, le poivre et la muscade et cuire à couvert pendant environ 20 minutes à une température plus basse.

Ajoutez ensuite le lait et mixez la soupe avec le mixeur plongeant. Assaisonner à nouveau au goût et chauffer davantage.

CONCLUSION

Si vous voulez perdre quelques kilos, le régime pauvre en glucides et en gras atteindra éventuellement vos limites. Bien que le poids puisse être réduit avec des régimes, le succès n'est généralement que de courte durée car les régimes sont trop unilatéraux. Donc, si vous voulez perdre du poids et éviter l'effet yo-yo classique, vous devriez plutôt vérifier votre bilan énergétique et recalculer vos besoins caloriques quotidiens.

L'idéal est d'adhérer à une variante douce du régime faible en gras avec 60 à 80 grammes de graisse par jour à vie. Il aide à maintenir le poids et protège contre le diabète et les lipides sanguins élevés avec tous leurs risques pour la santé.

Le régime pauvre en graisses est relativement facile à mettre en œuvre car il suffit de renoncer aux aliments gras ou de limiter sévèrement leur proportion dans la quantité quotidienne de nourriture. Avec le régime pauvre en glucides, cependant, une planification beaucoup plus précise et une plus grande endurance sont nécessaires. Tout ce qui vous remplit vraiment est généralement riche en glucides et doit être évité. Dans certaines circonstances, cela peut entraîner des fringales et donc un échec de l'alimentation. Il est essentiel que vous mangiez correctement. De nombreuses compagnies d'assurance maladie publiques proposent donc des cours de prévention ou paient des conseils nutritionnels individuels. Ce conseil est extrêmement important, surtout si vous décidez de suivre un régime amaigrissant où vous souhaitez changer définitivement le régime entier. La prise en charge de ces mesures par votre assurance maladie privée dépend du taux que vous avez souscrit.

RECETTES FAIBLES EN GRAS EN 30 MINUTES

Un livre de cuisine faible en gras avec plus de 50 recettes simples et rapides

Jennifer Denis

Avertissement

Les informations contenues dans i sont destinées à servir de collection complète de stratégies que l'auteur de cet eBook a recherchées. Les résumés, stratégies, trucs et astuces ne sont que les recommandations de l'auteur, et la lecture de cet eBook ne garantit pas que vos résultats reflètent fidèlement les résultats de l'auteur. L'auteur de l'eBook a fait tous les efforts raisonnables pour fournir des informations à jour et exactes aux lecteurs de l'eBook. L'auteur et ses associés ne seront pas tenus responsables des erreurs ou omissions involontaires qui pourraient être trouvées. Le contenu de l'eBook peut inclure des informations provenant de tiers. Les documents de tiers incluent les opinions exprimées par leurs propriétaires respectifs. A ce titre, l'auteur du

INTRODUCTION

Un régime faible en gras réduit la quantité de graisse ingérée par les aliments, parfois de manière drastique. En fonction de la mise en œuvre extrême de ce régime ou de ce concept nutritionnel, seuls 30 grammes de matières grasses peuvent être consommés par jour.

Avec une alimentation complète conventionnelle selon l'interprétation de la Société allemande de nutrition, la valeur recommandée est plus du double (environ 66 grammes ou 30 à 35 pour cent de l'apport énergétique quotidien). En réduisant considérablement les graisses alimentaires, les kilos devraient chuter et / ou ne pas reposer sur les hanches.

Bien qu'il n'y ait pas d'aliments interdits en soi avec ce régime: avec la saucisse de foie, la crème et les frites, vous avez atteint votre limite quotidienne de graisse plus rapidement que vous ne diriez "loin d'être plein". Par conséquent, pour un régime à faible teneur en matières grasses, les aliments à faible teneur en matières grasses doivent se retrouver principalement ou exclusivement dans l'assiette, de préférence les «bonnes» graisses telles que les huiles de poisson et végétales.

QUELS SONT LES AVANTAGES D'UNE RÉGIME FAIBLE EN GRAS?

Les graisses fournissent des acides gras essentiels (essentiels). Le corps a également besoin de graisse pour pouvoir absorber certaines vitamines (A, D, E, K) des aliments. Éliminer complètement les graisses de votre alimentation ne serait donc pas une bonne idée.

En fait, en particulier dans les pays riches en industrie, on consomme beaucoup plus de graisses chaque jour que ce que recommandent les experts. Un problème avec cela est que la graisse est particulièrement riche en énergie: un gramme contient 9,3 calories et donc le double d'un gramme de glucides ou de protéines. Un apport plus élevé en graisses favorise donc l'obésité. De plus, on dit que trop d'acides gras saturés, comme ceux du beurre, du saindoux ou du chocolat, augmentent le risque de maladies cardiovasculaires et même de cancer. Manger des régimes faibles en gras pourrait éviter ces deux problèmes.

ALIMENTS FAIBLES EN GRAS: TABLEAU DES ALTERNATIVES MAIGRES

La plupart des gens doivent savoir qu'il n'est pas sain de faire le plein de graisse incontrôlée. Les sources évidentes de graisse telles que les bords de graisse sur la viande et les saucisses ou les lacs de beurre dans la casserole sont faciles à éviter.

Cela devient plus difficile avec les graisses cachées, comme celles que l'on trouve dans les bonbons ou les fromages. Avec ce dernier, la quantité de matière grasse est parfois appelée pourcentage absolu, parfois «% FiTr», c'est-à-dire la teneur en matière grasse de la matière sèche qui se forme lorsque l'eau est éliminée des aliments.

Pour un régime faible en gras, vous devez faire attention, car un fromage blanc à la crème avec 11,4% de matières grasses a une teneur en matières grasses inférieure à un avec 40% de fiTr. Les deux produits ont la même teneur en matières grasses. Des listes d'experts en nutrition (par exemple la DGE) permettent d'intégrer le plus facilement possible une alimentation faible en gras dans la vie de tous les jours et d'éviter les risques de trébuchement. Par exemple, voici un au lieu d'une table (aliments riches en matières grasses avec des alternatives faibles en matières grasses):

Les aliments riches en matières grasses

Alternatives faibles en gras

Beurre

Fromage à la crème, fromage blanc aux herbes, moutarde, crème sure, concentré de tomate

Frites, pommes de terre sautées, croquettes, crêpes de pommes de terre

Pommes de terre au four, pommes de terre au four ou pommes de terre au four

Poitrine de porc, saucisse, oie, canard

Veau, chevreuil, dinde, escalope de porc, -lende, poulet, magret de canard sans peau

Lyoner, mortadelle, salami, saucisse de foie, boudin noir, bacon

Jambon cuit / fumé sans bord gras, saucisses maigres telles que jambon de saumon, poitrine de dinde, viande rôtie, saucisse aspic

Alternatives sans gras à la saucisse ou au fromage ou à accompagner avec eux

Tomate, concombre, tranches de radis, laitue sur pain ou même tranches de banane / quartiers de pomme fins, fraises

Bâtonnet de poisson

Poisson cuit à la vapeur faible en gras

Thon, Saumon, Maquereau, Hareng

Morue à la vapeur, lieu noir, haddock

Lait, yogourt (3,5% de matière grasse)

Lait, yogourt (1,5% de matière grasse)

Crème de quark (11,4% de matière grasse = 40% de fiTr.)

Quark (5,1% de matière grasse = 20% FiTr.)

Fromage à la crème double (31,5% de matière grasse)

Fromage étagé (2,0% de matière grasse = 10% FiTr.)

Fromage gras (> 15% de matière grasse = 30% FiTr.)

Fromages allégés (max.15% de matière grasse = max.30% de fiTr.)

Crème fraîche (40% de matière grasse)

Crème sure (10% de matière grasse)

Mascarpone (47,5% de matière grasse)

Fromage à la crème granuleux (2,9% de matière grasse)

Gâteau aux fruits avec pâte brisée

Gâteau aux fruits avec levure ou pâte éponge

Gâteau éponge, gâteau à la crème, biscuits au chocolat, pâte brisée, chocolat, barres

Des desserts maigres comme du pain russe, des doigts de dame, des fruits secs, des oursons en gélatine, de la gomme aux fruits, des mini bisous au chocolat (attention: le sucre!)

Crème de nougat aux noix, tranches de chocolat

Fromage à la crème granuleux avec un peu de confiture

des croissants

Bretzels croissants, petits pains complets, viennoiseries au levain

Noix, chips

Bâtonnets de sel ou bretzels

Crème glacée

Glace aux fruits

Olives noires (35,8% de matière grasse)

Olives vertes (13,3% de matière grasse)

RÉGIME FAIBLE EN GRAS: COMMENT ÉCONOMISER DES GRAISSES DANS LA FAMILLE

En plus de l'échange d'ingrédients, il existe quelques autres astuces que vous pouvez utiliser pour intégrer un régime faible en gras dans votre vie quotidienne:

La cuisson à la vapeur, le ragoût et les grillades sont des méthodes de cuisson faibles en gras pour un régime faible en gras.

Cuire dans le Römertopf ou avec des casseroles spéciales en acier inoxydable. Les aliments peuvent également être préparés sans gras dans des casseroles enduites ou en papier d'aluminium.

Vous pouvez également économiser de la graisse avec un pulvérisateur à pompe: versez environ la moitié de l'huile et de l'eau, secouez-la et vaporisez-la sur le fond de la poêle avant de la faire frire. Si vous n'avez pas de pulvérisateur à pompe, vous pouvez graisser le pot avec une brosse - cela économise également de la graisse.

Pour un régime faible en gras dans les sauces à la crème ou les ragoûts, remplacez la moitié de la crème par du lait.

Laisser refroidir les soupes et les sauces, puis retirer le gras de la surface.

Préparez les sauces avec un filet d'huile, de crème sure ou de lait.

Le bouillon de légumes et de rôti peut être accompagné d'une purée de légumes ou de pommes de terre crues râpées pour un régime faible en gras.

Placez du papier sulfurisé ou du film plastique sur la plaque à pâtisserie pour éviter de graisser.

Ajoutez simplement un petit morceau de beurre et des herbes fraîches aux plats de légumes et bientôt vos yeux mangeront aussi.

Nouez les plats de crème avec la gélatine.

ALIMENTATION FAIBLE EN GRAS: QUELLE EST-ELLE VRAIMENT SAINE?

Depuis longtemps, les experts en nutrition sont convaincus qu'une alimentation faible en gras est la clé d'une silhouette mince et de la santé. Le beurre, la crème et la viande rouge, par contre, étaient considérés comme un danger pour le cœur, les valeurs sanguineset les escaliers. Cependant, de plus en plus d'études suggèrent que la graisse n'est pas aussi mauvaise qu'elle l'est. Contrairement à un plan nutritionnel à faible teneur en matières grasses, les sujets testés pourraient, par exemple, s'en tenir à un menu méditerranéen avec beaucoup d'huile végétale et de poisson, être en meilleure santé et ne pas grossir.

En comparant différentes études sur les graisses, les chercheurs américains ont constaté qu'il n'y avait aucun lien entre la consommation de graisses saturées et le risque de maladie coronarienne. Il n'y avait pas non plus de preuve scientifique claire que les régimes pauvres en graisses prolongeaient la vie. Seules les graisses dites trans, qui sont produites, entre autres, lors de la friture et du durcissement partiel des graisses végétales (dans les frites, les frites, les produits de boulangerie prêts à l'emploi, etc.), ont été classées comme dangereuses par les scientifiques.

Ceux qui mangent uniquement ou principalement des aliments faibles en gras ou sans gras sont susceptibles de manger plus consciemment en général, mais courent le risque de consommer trop peu de «bons gras». Il existe également un risque de carence en vitamines liposolubles, dont notre corps a besoin pour absorber les graisses.

Régime faible en gras: l'essentiel

Un régime faible en gras vous oblige à prendre soin des aliments que vous avez l'intention de consommer. En conséquence, vous serez probablement plus conscient des achats, de la cuisine et des repas.

Pour perdre du poids, cependant, ce n'est pas principalement la provenance des calories qui compte, mais le fait que vous consommez moins de calories par jour que vous n'en utilisez. Plus encore: les graisses (essentielles) sont nécessaires à la santé globale, car sans elles, le corps ne peut pas utiliser certains nutriments et ne peut pas effectuer certains processus métaboliques.

En résumé, cela signifie: Un régime pauvre en graisses peut être un moyen efficace de contrôler le poids ou de compenser l'indulgence des graisses. Il n'est pas recommandé d'abandonner complètement les graisses alimentaires.

SOUPE À LA CITROUILLE ET

Portions: 2

INGRÉDIENTS

- 700 G Citrouille, Hokkaido
- 1 Stg Citronnelle
- 1 pc Gingembre
- 2 TL huile d'olive
- 400 ml Bouillon de légumes
- 400 ml Lait de coco, non sucré
- 1 TL sel
- 1 TL poivre blanc
- 2 cuillères à soupe Graines de citrouille
- 1 cuillère à soupe sésame

PRÉPARATION

Coupez d'abord la citrouille en deux avec un couteau bien aiguisé, coupez la pulpe et coupez-la en petits morceaux.

Coupez ensuite la citronnelle en tranches très fines et râpez finement le gingembre.

Faites maintenant chauffer l'huile d'olive dans une casserole et faites dorer la citrouille, le gingembre et la citronnelle.

Versez ensuite le bouillon de légumes et le lait de coco, portez brièvement à ébullition et faites cuire à feu moyen pendant environ 30 minutes jusqu'à ce que la courge soit tendre.

Pendant ce temps, faites griller soigneusement la citrouille et les graines de sésame dans une poêle non huilée.

Dès que la citrouille est tendre, mélanger la soupe, assaisonner de sel et de poivre et saupoudrer de citrouille et de graines de sésame

SOUPE À LA CITROUILLE ET AU

Portions: 4

INGRÉDIENTS

- 600 G Citrouille d'Hokkaido
- Bouillon de légumes
- 1 cuillère à café Piment en poudre, chaud
- 1 TL curry
- 3 cm Gingembre
- 1 coup Jus de citron

PRÉPARATION

Épluchez le potiron, retirez les graines avec une cuillère et coupez la pulpe en petits morceaux. Épluchez et hachez également le gingembre.

Cuire les deux dans une casserole avec le bouillon de légumes à feu moyen pendant 20 minutes jusqu'à ce qu'ils soient tendres.

Mélangez ensuite la soupe à la citrouille et au gingembre avec le mixeur plongeant et assaisonnez bien avec le jus de citron, le piment et le curry.

SOUPE DE CHOU POUR RÉGIME

Portions: 6

INGRÉDIENTS

- 1 kpf Chou (env.1 kg)
- 5 pièces Oignons de légumes, de taille moyenne
- 2 bidons Morceaux de tomate (850 ml chacun)
- 2 pièces Poivrons jaunes / verts
- 1 kg Carottes
- 2 Stg Poireau
- 200 G Bulbe de céleri
- 6 cuillères à soupe Persil haché
- 2 pièces Cubes de soupe
- 1 TL poivre
- 1 prix Poudre de chili
- 5 eau

PRÉPARATION

Pour cette soupe de chou light, coupez d'abord le chou blanc en quartiers. Retirez les taches et la tige dure, lavez-les et coupez-les en gros morceaux. Épluchez et coupez les oignons en dés.

Maintenant, retirez la tige des poivrons, puis coupez-les en deux, retirez les graines, lavez les moitiés et coupez-les en lanières. Épluchez les carottes si nécessaire, sinon lavez-les et coupez-les en lanières.

Ensuite, nettoyez le poireau, coupez les racines et les longues feuilles, lavez-le soigneusement, coupez-le en 2 moitiés dans le sens de la longueur, puis coupez-le en demi-anneaux plus larges. Épluchez, lavez et coupez le céleri en dés.

Portez ensuite à ébullition le chou blanc avec 2 cubes de soupe dans une grande casserole avec de l'eau, puis ajoutez les légumes hachés. Après environ 10 minutes, versez les tomates en conserve et laissez cuire encore 15 minutes.

Assaisonnez enfin la soupe avec du poivre et du piment, puis parsemez de persil haché.

KOHLRABI SPREAD

Portions: 2

INGRÉDIENTS

- 2 cuillères à soupe Crème aigre
- 1 cuillère à soupe Noix, hachées
- 0,5 Fédération persil
- 100 GRAMMES Chou-rave
- 100 GRAMMES crème au fromage
- 1 prix sel
- 1 prix poivre

PRÉPARATION

Épluchez le chou-rave et râpez-le dans une râpe fine. Lavez le persil, séchez-le et hachez-le en petits morceaux.

Mélangez maintenant le chou-rave avec le persil, les noix, le fromage à la crème et la crème sure dans un bol.

Enfin, assaisonnez bien le chou-rave avec du sel et du poivre.

PAIN CROQUANT

Portions: 8

INGRÉDIENTS

- 300 ml Eau chaude
- 4 cuillères à soupe huile d'olive
- 1 TL sel
- 500 G farine de blé
- 1 pc Levure sèche
- 1 TL du sucre
- 8 cuillères à soupe Tahini, pâte de sésame
- 2 cuillères à soupe Sésame, léger

PRÉPARATION

Pour les pâtes, mélangez d'abord l'eau tiède avec le sel et l'huile.

Mélangez la farine, le sucre et la levure sèche dans un bol.

Versez ensuite le liquide dans les ingrédients secs et pétrissez le tout avec le crochet pétrisseur d'un batteur à main jusqu'à ce qu'il forme une pâte lisse.

Couvrir la pâte avec un chiffon et laisser lever dans un endroit chaud pendant environ 1 heure.

Saupoudrez ensuite un peu de farine sur un plan de travail, pétrissez à nouveau la pâte après l'avoir placée, divisez-la en 8 morceaux égaux et formez des boules.

Maintenant, chauffez doucement la pâte de sésame au micro-ondes (ou au bain-marie) et mélangez pour que l'huile ne se dépose pas.

Abaisser les morceaux de pâte en petits pains fins (environ la taille d'une casserole) et étendre la pâte de sésame des deux côtés et saupoudrer de graines de sésame.

À ce stade, chauffez une casserole à température moyenne sans ajouter de matière grasse et faites cuire les gâteaux l'un après l'autre des deux côtés pendant environ 8 à 10 minutes.

Du pain croustillant cuit au four, laissez-le refroidir sur une grille et profitez du meilleur frais.

MUESLI CROQUANT AU YOGOURT

Portions: 2

INGRÉDIENTS

- 100 GRAMMES flocons d'avoine copieux
- 50 GRAMMES Graines de tournesol
- 50 GRAMMES raisins secs
- 1 prix sel
- 2 cuillères à soupe sirop d'érable
- 500 G Yaourt au soja
- 1 pc sucre vanillé
- 50 GRAMMES découpé en tranches amandes

PRÉPARATION

Pour le granola au yogourt croquant, faites chauffer une poêle sans gras, ajoutez le gruau, les amandes et les graines de tournesol et faites rôtir jusqu'à ce qu'ils soient dorés.

Ajoutez maintenant les raisins secs et le sel et mélangez bien. Saupoudrez ensuite de sirop d'érable, mélangez le tout et faites caraméliser à feu moyen.

Ensuite, étalez le mélange sur une plaque à pâtisserie préparée recouverte de papier sulfurisé et laissez refroidir pendant 5 minutes.

Pendant ce temps, mettez le yogourt de soja dans un bol et adoucissez avec du sucre vanillé.

Ensuite, remplissez alternativement le yaourt et le muesli en couches dans deux grands verres et dégustez.

SHAKE CROQUANT FRIT

Portions: 3

INGRÉDIENTS

- 1 kg Pommes de terre, bio
- 2 cuillères à soupe Huile de tournesol
- 2 TL Paprika en poudre, fumé
- 2 TL sel

PRÉPARATION

Préchauffez d'abord le four à 250 ° C (chaleur du haut et du bas), lavez bien les pommes de terre, coupez-les en deux sans les éplucher et coupez-les en bâtonnets.

Ensuite, mettez les bâtonnets de pommes de terre avec l'huile de tournesol, le sel et la poudre de paprika dans un bol léger et agitez bien jusqu'à ce que les épices soient uniformément réparties.

Tapisser maintenant une plaque à pâtisserie de papier sulfurisé, répartir les frites uniformément et cuire au four jusqu'à ce qu'elles soient dorées et croustillantes pendant environ 25 minutes.

Enfin, sortez les frites croustillantes et servez-les en accompagnement ou avec des sauces fraîches (comme le ketchup, l'aïoli, la sauce à l'ail, etc.).

STOCK DE POULET LÉGER

Portions: 12

INGRÉDIENTS

- 1 pc Soupe au poulet
- 400 G Racines, carottes, céleri, racine de persil
- 2,5 eau
- 1 cuillère à soupe sel

PRÉPARATION

Nettoyez l'intérieur et l'extérieur du poulet prêt à cuire à l'eau froide, ainsi que le cœur et l'estomac.

Ensuite, placez le poulet avec les entrailles dans une casserole avec de l'eau froide salée et faites cuire lentement jusqu'à ce qu'ils soient tendres à basse température, en écrémant encore et encore avec une cuillère.

Pendant ce temps, lavez, épluchez et coupez les racines.

Après une heure de cuisson, ajoutez les légumes préparés au poulet et laissez mijoter encore une heure.

Lorsque la viande est tendre, égouttez le bouillon de poulet clair à travers un tamis fin.

KIWIGELÉE

Portions:4

INGRÉDIENTS

- 4 pièces kiwi
- 0,5 jus de raisin
- 0,25 TL sucre vanillé
- 1 TL Gélose Gélose
- 1 coup Jus de citron

PRÉPARATION

Épluchez d'abord les kiwis, coupez-les en petits morceaux puis mixez-les avec une goutte de jus de citron.

Mettez ensuite le jus de raisin avec le sucre vanillé et le mélange de kiwi dans une casserole, mélangez et faites chauffer soigneusement.

Mélangez ensuite l'agar agar avec 2 cuillères à soupe de jus de raisin jusqu'à consistance lisse et mélangez au mélange de kiwi. Remuer à feu moyen pendant environ 2 minutes sans que le liquide commence à bouillir.

Enfin, versez la gelée de kiwi du pot dans les bols et laissez refroidir.

KISIR

Portions: 4

INGRÉDIENTS

- 200 G Boulgour, eh bien, Köftelik
- 150 ml Eau bouillante
- 1 pc Oignon moyen
- 1 coup Huile végétale, pour la poêle
- 1 cuillère à soupe Pâte de tomate
- 1 cuillère à soupe Pulpe de paprika, Acı Biber Salcası
- 1 cuillère à café Poudre de cumin
- 1 cuillère à soupe Flocons de piment, castor aci pul
- 1 coup Sirop de grenade, Nar Eksisi
- 0,5 Fédération menthe
- 0,5 Fédération Persil lisse
- 1 pc Oignon de printemps

- 1 coup huile d'olive
- 1 prix sel
- 1 prix Poivre du moulin
- 1 coup Jus de citron

PRÉPARATION

Mettez le boulgour dans un bol, versez de l'eau bouillante dessus, remuez brièvement et laissez-le tremper pendant environ 15 minutes.

Pendant ce temps, épluchez l'oignon et faites-le frire dans une poêle avec l'huile.

Ajouter ensuite la pulpe de paprika, la pâte de tomate, le cumin moulu, les flocons de piment (= Aci Pul Biber) et le sirop de grenade (= Nar Eksisi) dans la poêle avec les oignons et bien mélanger. Retirez ensuite la casserole de la plaque chauffante et laissez-la refroidir.

Lavez la menthe et le persil, séchez-les et hachez-les finement. Coupez les oignons nouveaux en deux dans le sens de la longueur et coupez-les en fines rondelles.

Mélangez ensuite le boulgour avec le mélange d'oignon et incorporez les herbes finement hachées et les oignons nouveaux.

Enfin, incorporer l'huile d'olive dans le kisir et assaisonner la salade de boulgour avec du sel, du poivre et du jus de citron.

HARICOTS DE REIN AVEC AVOCAT

Portions: 4

INGRÉDIENTS

- 2 pièces	Oignons, super
- 2 bidons	Haricots rouges (environ 250g)
- 2 pièces	Avocats, mûrs (environ 180 g)
- 1 pc	Citron
- 2 cuillères à soupe	L'huile de colza
- 100 ml Bouillon de légumes, instantané
- 2e prix	sel
- 2e prix	poivre
- 2 TL	Raifort râpé (verre)
- 1 carton	cresson

PRÉPARATION

Épluchez d'abord les oignons et coupez-les en petits cubes.

Versez les haricots dans une passoire de cuisine, rincez à l'eau froide et égouttez bien.

Couper les avocats en deux dans le sens de la longueur, évider, éplucher les moitiés et les couper en cubes. Ensuite, pressez le citron et assaisonnez-le avec les cubes.

À ce stade, faites chauffer l'huile dans une poêle antiadhésive à bord haut et faites dorer les cubes d'oignon jusqu'à ce qu'ils soient dorés. Déglacer avec le bouillon de légumes et ajouter les haricots et les avocats. Laisser tout mijoter environ 4 minutes en remuant constamment.

Enfin assaisonner les légumes haricots borlotti avec de l'avocat avec du sel, du poivre et du raifort, saupoudrer de cresson et servir.

SALADE DE POIS CHICHES

Portions: 4

- **INGRÉDIENTS**
- 250 G Pois chiches secs
- 3 pièces gousse d'ail
- 1 pc oignon
- 1 prix Poivre, fraîchement moulu

pour l'assaisonnement

- 50 ml le vinaigre
- 80 ml huile d'olive
- 0,5 TL sel

PRÉPARATION

Faites tremper les pois chiches pendant une nuit (au moins 12 heures) avec le triple de la quantité d'eau.

Filtrez ensuite les pois chiches, versez-y de l'eau fraîche salée et laissez cuire env. 90 minutes jusqu'à ce qu'ils soient tendres. Ensuite, égouttez-les bien dans une passoire.

Pendant ce temps, épluchez et hachez finement l'oignon et l'ail et mélangez-les avec les pois chiches dans un bol.

Mélangez une vinaigrette avec du vinaigre, de l'huile, du sel et du poivre et faites mariner la salade de pois chiches avec.

SAUCE AUX POIS CHICHES

Portions: 4

INGRÉDIENTS

- 1 pc Oignon, super
- 2 pièces gousse d'ail
- 4 cuillères à soupe huile d'olive
- 100 GRAMMES Pâte de tomate
- 100 ml vin rouge
- 250 G Pois chiches, cuits
- 750 ml tamisé tomates
- 1 TL sel
- 1 prix poivre
- 1 prix Poudre de paprika, noble sucré
- 1 TL Origan, râpé
- 1 TL Thym, râpé

PRÉPARATION

Mettez d'abord l'huile d'olive dans une casserole, faites-la chauffer, épluchez l'oignon, coupez-le en deux et coupez-le en fines tranches, puis ajoutez, et épluchez l'ail, pressez dans la casserole avec un presse-ail, faites dorer pendant environ 10 minutes à feu moyen.

Puis déglacer avec le vin rouge et la pâte de tomate, ajouter les pois chiches et la sauce tomate; Assaisonner de poivre, sel, muscade et paprika en poudre.

Enfin, laissez mijoter la sauce aux pois chiches pendant encore 45 minutes, puis saupoudrez d'origan et de thym vers la fin.

SALADE DE POIS CHICHES ET AVOCAT AU QUINOA

Portions: 2

INGRÉDIENTS

- 200 G quinoa
- 200 G Pois chiches (en pot ou en boîte)
- 1 pc oignon
- 4 pièces tomates
- 200 G Fromage de chèvre
- 1 pc Avocat (aussi mûr que possible)
- 100 GRAMMES Laitue

pour la vinaigrette

- 1 cuillère à soupe le vinaigre
- 1 TL moutarde

- 1 TL mon chéri
- 1 prix sel
- 1 prix Poivre (fraîchement moulu)
- 3 cuillères à soupe huile d'olive

PRÉPARATION

Rincez d'abord le quinoa à l'eau chaude, puis placez-le dans une casserole avec beaucoup d'eau bouillante. Laisser cuire le quinoa pendant 20 minutes et laisser gonfler encore 5 minutes après la cuisson.

Mélangez ensuite le quinoa avec les pois chiches cuits ou rôtis.

Maintenant, épluchez, lavez et coupez l'oignon en lanières. Ensuite, lavez et coupez les tomates en quartiers. Coupez le fromage de brebis en cubes.

Épluchez et coupez l'avocat en deux, retirez le cœur puis coupez-le en quartiers. Lavez la laitue et coupez-la en petits morceaux. Enfin, mélangez tous les ingrédients avec le quinoa et les pois chiches.

Maintenant, mélangez une vinaigrette à base d'huile d'olive, de vinaigre, de moutarde, de miel, de sel et de poivre fraîchement moulu et répartissez uniformément sur la salade.

SOUPE DE POMMES DE TERRE AUX POIS ET CHIENS

Portions: 4

INGRÉDIENTS

- 700 G Pommes de terre, principalement cireuses
- 1 Stg Poireau
- 2 cuillères à soupe L'huile d'olive, pour le pot
- 200 G Petits pois surgelés
- 800 ml l'eau
- 2 TL Bouillon de légumes, poudre
- 1 Fédération Feuilles de pissenlit, une bonne poignée
- 0,5 pièce Citron bio
- 100 ml Crème d'avoine
- 1 prix sel

- 1 prix Flocons de piment

PRÉPARATION

Lavez d'abord, épluchez et coupez les pommes de terre en dés. Nettoyez ensuite le poireau, coupez-le dans le sens de la longueur, lavez-le soigneusement puis coupez-le en fines lanières en travers.

Chauffez ensuite l'huile dans une grande casserole. Faites revenir les pommes de terre et les poireaux en remuant. Ajouter les petits pois et faire revenir brièvement.

Ajoutez maintenant de l'eau chaude et du bouillon de légumes et portez le tout à ébullition. Couvrir et laisser mijoter la soupe à feu doux pendant environ 10 minutes, jusqu'à ce que les pommes de terre soient tendres.

Pendant ce temps, rincez les feuilles de pissenlit, séchez-les et hachez-les très finement. Frottez ensuite le zeste d'un demi-citron.

Mélangez la crème d'avoine avec le pissenlit dans la soupe et assaisonnez de sel, de flocons de piment rouge et de zeste de citron râpé.

SOUPE DE POMMES DE TERRE

Portions: 4

INGRÉDIENTS

- 1 kg Pommes de terre, cuisson farineuse
- 500 G brocoli
- 1 pc oignon
- l'eau
- 2,5 TL Bouillon de légumes, poudre
- 1 coup huile

PRÉPARATION

Lavez d'abord, épluchez et coupez les pommes de terre en dés. Ensuite, lavez aussi les brocolis et coupez-les en fleurettes avec vos mains et un couteau. Épluchez la tige du brocoli et coupez-la en cubes. Ensuite, épluchez et hachez finement l'oignon.

Mettez ensuite les pommes de terre, le brocoli et l'oignon dans une casserole et faites revenir dans un filet d'huile à feu moyen. Déglacer à l'eau, ajouter le bouillon de légumes et laisser mijoter environ 20 minutes.

Mélangez ensuite finement la soupe et servez. La soupe de pommes de terre au brocoli est prête.

POMMES DE TERRE DOUCES ET

Portions: 4

INGRÉDIENTS

- 500 G Pommes de terre, cireuses
- 1 TL sel
- 250 G courgette
- 1 pc oignon
- 2 pièces Gousses d'ail
- 150 G Feuilles d'épinards
- 200 G Morceaux d'ananas (boîte)
- 200 ml Jus d'ananas
- 1 cuillère à soupe Huile, neutre
- 50 ml Bouillon de légumes

- 2 cuillères à soupe Sauce soja légère
- 2 cuillères à soupe vinaigre de cidre de pomme
- 1 cuillère à soupe mon chéri

PRÉPARATION

Lavez d'abord les pommes de terre, mettez-les dans une casserole avec de l'eau salée, portez à ébullition et faites cuire environ 25 minutes jusqu'à ce qu'elles soient cuites. Filtrez ensuite les pommes de terre, épluchez-les et coupez-les à env. Cubes de 2 cm.

Lavez les courgettes, coupez les deux extrémités et coupez également les courgettes en cubes.

Ranger, laver et égoutter les épinards. Égouttez les morceaux d'ananas dans une passoire en récupérant le jus.

Épluchez et hachez finement l'oignon et l'ail.

Chauffer l'huile dans le wok, faire revenir l'oignon et l'ail haché jusqu'à ce qu'ils soient translucides, puis ajouter les pommes de terre, les courgettes et les épinards et faire revenir pendant 2 minutes. Mélangez maintenant le tout avec le jus d'ananas, ajoutez les morceaux d'ananas et le bouillon de légumes.

Enfin, affinez les légumes avec la sauce soja, le vinaigre de cidre de pomme et le miel, assaisonnez de sel et ramenez à ébullition.

GOUTTES DE POMME DE TERRE AUX ÉPINARDS

Portions: 4

INGRÉDIENTS

- 500 G Pommes de terre, cuisson farineuse
- 200 G Feuilles d'épinards
- 4 cuillères à soupe purée de pomme de terre
- 1 TL Sel, pour cuisiner
- 1 prix Noix de muscade, fraîchement râpée
- 1 cuillère à café poivre
- 1 prix sel
- 2 pièces protéine
- 3 cuillères à soupe L'eau pour mélanger

PRÉPARATION

Pour les gnocchis aux pommes de terre aux épinards, bien badigeonner les pommes de terre, puis avec la peau dans une casserole, légèrement recouverte d'eau salée et cuire 30 minutes - jusqu'à tendreté.

Égouttez les pommes de terre, épluchez-les et écrasez-les pendant qu'elles sont encore chaudes. Mélangez ensuite les pommes de terre avec du sel, du poivre et de la muscade.

Épluchez maintenant les épinards, mettez les légumes dans un bol avec de l'eau, retirez les feuilles des tiges, puis rincez les feuilles 2-3 fois. Puis blanchissez brièvement les épinards dans l'eau bouillante, pressez et hachez très finement.

Mélangez maintenant les épinards avec 3 cuillères à soupe de farine de pomme de terre et le blanc d'oeuf dans le mélange de pommes de terre.

Façonnez ensuite la pâte de pommes de terre en gnocchi et laissez reposer environ 10 minutes.

Ensuite, mettez sur une casserole avec 1 litre d'eau salée. Mélangez les 2 cuillères à soupe de farine de pomme de terre restantes avec un peu d'eau, versez dans la casserole et portez à ébullition.

Mettez maintenant les gnocchis dans l'eau qui n'est plus bouillante et faites cuire à feu moyen pendant environ 15 minutes.

GOULASSE DE POMMES DE TERRE

Portions: 4

INGRÉDIENTS

- 150 G Bulbe de céleri
- 800 G Pommes de terre, principalement cireuses
- 2 pièces Carottes
- 2 TL Poudre de paprika, noble sucré
- 500 ml Bouillon de légumes, chaud
- 4 cuillères à soupe Pâte de tomate
- 1 prix sel
- 1 cuillère à soupe Crème fraîche ou crème sure
- 3 pièces Oignons, hachés finement
- 1 TL Beurre clarifié
- 1 prix Poivre du moulin
- 1 prix du sucre

PRÉPARATION

Pour ce goulasch végétarien aux pommes de terre, épluchez d'abord les pommes de terre, lavez-les et coupez-les à env. Cubes de 1 cm. Épluchez et coupez les carottes de la même manière, mais un peu plus petit. Peler, peler et couper le céleri en bâtonnets.

Dans une casserole, faire revenir les oignons dans du beurre clarifié, puis ajouter les pommes de terre et les carottes coupées en dés, le céleri et faire revenir brièvement.

Verser sur le bouillon de légumes, saupoudrer de poudre de paprika et incorporer la pâte de tomate. Couvrir et cuire à couvert pendant environ 10 minutes jusqu'à ce qu'ils soient ramollis.

Enfin, assaisonnez le goulash de pommes de terre avec du sel, du poivre, du sucre et de la crème fraîche et servez.

QUARTIERS DE POMMES DE

Portions: 4

INGRÉDIENTS

- 850 G Pommes de terre, cireuses
- 4 cuillères à soupe huile d'olive
- 2 TL Paprika en poudre, sucré
- 1 TL sel

PRÉPARATION

Préchauffez d'abord le four à 200 ° C (convection) ou 220 ° C (chaleur du haut et du bas) et couvrez une plaque à pâtisserie de papier sulfurisé.

Épluchez et lavez les pommes de terre, coupez-les en quartiers puis mettez-les dans un bol.

Maintenant, étalez l'huile d'olive, le sel et la poudre de paprika sur le chemin des pommes de terre et mélangez bien avec vos mains.

Disposez les pommes de terre sur la plaque à pâtisserie préparée, en vous assurant qu'elles sont côte à côte.

Faites glisser la casserole sur le guide central et faites cuire les tranches de pommes de terre au four pendant environ 30 minutes jusqu'à ce qu'elles soient dorées. Faites attention à ne pas devenir trop sombre. Une fois terminé, transférer dans un bol et servir.

LA POMME DE TERRE PARLE AUX POMMES DE TERRE DOUCES

Portions: 2

INGRÉDIENTS

- 3 pièces Patates douces, super
- 3 cuillères à soupe huile d'olive
- 1 TL Paprika en poudre, sucré
- 1 TL Poudre de cumin
- 1 TL Romarin, haché finement
- 1 prix sel

PRÉPARATION

Préchauffez d'abord le four à 220 ° C (four à convection 200 ° C).

Pendant ce temps, épluchez et lavez les patates douces. Ensuite, coupez-les dans les coins ou les crevasses et disposez-les dans un plat allant au four.

Ensuite, arrosez les patates douces d'huile d'olive. Saupoudrer de paprika en poudre, de cumin, de romarin et de sel et bien mélanger les pommes de terre à deux mains.

Placer le plat sur la grille centrale du four préchauffé et cuire les quartiers de patate douce pendant environ 30 minutes jusqu'à ce qu'ils soient tendres à l'intérieur et croustillants à l'extérieur.

QUARTIERS DE POMMES DE TERRE DE LA FRITEUSE À AIR

Portions: 2

INGRÉDIENTS

- 600 G Pommes de terre, cireuses
- 2 TL huile d'olive
- 1 prix sel de mer
- 1 prix Poivre, noir, fraîchement moulu
- 0,5 TL Romarin, haché finement
- 0,5 TL Thym, séché

Pour la trempette

- 1 pc Avocat mûr
- 2 cuillères à soupe Yaourt nature
- 1 TL Condiment pour guacamole

- 1 TL   Jus de citron

PRÉPARATION

Lavez d'abord soigneusement les pommes de terre et brossez-les. Donc, selon la taille, un quart ou un huitième.

Mettez ensuite dans un bol, arrosez d'huile et assaisonnez de sel, poivre, romarin et thym. Mélangez bien les pommes de terre avec ces ingrédients.

Réglez maintenant la friteuse à air à 180 ° C et un temps de cuisson de 20 minutes.

Ajouter les pommes de terre, après 10 minutes ouvrir la friteuse, mélanger les pommes de terre pour un résultat uniformément doré puis terminer la cuisson.

Pendant la cuisson, coupez l'avocat, retirez le noyau et récupérez la pulpe. Mettre dans un bol, écraser à la fourchette et mélanger avec le jus de citron, le yogourt et la vinaigrette au guacamole.

Sortez les quartiers de pommes de terre finis de la friteuse et servez avec la salsa à l'avocat.

SAUCE DE POMMES DE TERRE SANS BEURRE

Portions: 4

INGRÉDIENTS

- 1 kg Pommes de terre, cuisson farineuse
- 1 TL Sel, pour l'eau de cuisson
- 150 ml Lait (teneur en matière grasse 1,5%)
- 2 cuillères à soupe Crème sure (10% de matière grasse)
- 1 prix sel
- 1 prix Poivre, blanc, fraîchement moulu
- 1 prix Noix de muscade, fraîchement râpée

PRÉPARATION

Épluchez, lavez et coupez les pommes de terre en gros cubes. Ensuite, mettez dans une casserole, couvrez d'eau salée et faites cuire à feu moyen pendant environ 20-25 minutes.

Égouttez les pommes de terre cuites dans une passoire et récupérez l'eau de cuisson dans un bol.

Ensuite, faites chauffer le lait dans une petite casserole pendant environ 3 minutes. Pressez les pommes de terre avec un presse-purée et battez le lait chaud avec un fouet. Incorporez ensuite la crème sure.

Si la consistance est trop ferme, ajoutez un peu d'eau de cuisson des pommes de terre collectées.

Enfin assaisonner la purée de pommes de terre sans beurre avec du sel, de la muscade et du poivre et servir aussitôt.

FRITES

S.

Portions: 4

INGRÉDIENTS

- 30 G Escalope de dinde, fine
- 3 cuillères à soupe huile d'olive
- 1 prix sel
- 1 prix poivre blanc
- 400 G Pommes de terre, cireuses
- 200 G Champignons, petits
- 250 G courgette
- 1 Fédération Oignons de printemps
- 250 G brocoli
- 75 G Tomates séchées
- 0,5 Fédération Persil (frais
- 0,5 Fédération Origan, frais

- 200 G Crème aigre

PRÉPARATION

Lavez d'abord l'escalope de dinde, séchez-la avec du papier absorbant et coupez-la en lanières.

Faites ensuite chauffer une cuillère à soupe d'huile d'olive dans une poêle et faites revenir les lanières de dinde dorées de tous les côtés. Puis assaisonnez-les de sel et de poivre, retirez-les de la casserole et gardez-les au chaud.

Maintenant, épluchez, lavez et coupez les pommes de terre en tranches. Chauffer le reste de l'huile d'olive dans la poêle et couvrir les pommes de terre pendant environ 20 minutes à feu moyen jusqu'à ce qu'elles soient bien cuites, en remuant de temps en temps.

Pendant ce temps, nettoyez les champignons et coupez-les en deux. Lavez les courgettes et coupez-les en tranches. Nettoyez et lavez les oignons nouveaux et coupez-les en rondelles.

Ajouter les légumes aux pommes de terre après 10 minutes et cuire en même temps - assaisonner de sel et de poivre.

Nettoyez, lavez et coupez le brocoli en fleurettes. Porter à ébullition de l'eau salée dans une casserole, cuire les fleurons de brocoli pendant 8 minutes, puis égoutter et égoutter.

Coupez les tomates séchées en petits morceaux. Mélangez ensuite la viande, le brocoli et la tomate hachée dans les pommes de terre, assaisonnez à nouveau avec du sel et du poivre et chauffez.

Enfin, retirez le persil et l'origan des tiges, lavez-les, secouez-les et hachez-les finement. Mélangez les herbes avec la crème sure et servez dans la casserole de pommes de terre et de légumes.

PAN DE POMMES DE TERRE ET LÉGUMES AVEC OEUF

Portions: 2

INGRÉDIENTS

- 800 G Pommes de terre, cireuses
- 200 G Maïs (boîte)
- 6 pièces Des œufs
- 80 G Persil finement haché
- 2 cuillères à soupe L'huile de colza
- 20 pièces Tomates, petites
- 1 prix sel
- 1 prix poivre

PRÉPARATION

Pour la casserole de pommes de terre et légumes avec œuf, épluchez d'abord soigneusement les pommes de terre cireuses avec un éplucheur ou un couteau, lavez-les et portez-les à ébullition dans une grande casserole avec de l'eau légèrement salée. Faites maintenant bouillir les pommes de terre pendant 10 minutes, puis égouttez-les soigneusement et coupez-les en tranches.

En même temps, faites chauffer l'huile de colza dans une poêle peu profonde et faites revenir les pommes de terre pendant quelques minutes.

Lavez les tomates, tapotez-les avec un chiffon puis coupez-les en quartiers. Placer le maïs en conserve dans une passoire, bien rincer et laisser égoutter. Ajoutez ensuite les tomates coupées en quartiers et le maïs aux pommes de terre et incorporez soigneusement.

Mélangez ensuite les œufs et une pincée de sel et de poivre dans un bol avec un fouet et mélangez avec les autres ingrédients dans la casserole. Mélangez bien le tout et laissez reposer 5 minutes. Remuez-le soigneusement de temps en temps pour éviter de brûler quelque chose.

PURÉE DE POMMES DE TERRE ET

Portions: 4

INGRÉDIENTS

- 1 kg Pommes de terre, cuisson farineuse
- 200 G Pois, jeunes, congelés
- 2 cuillères à soupe beurre
- 1 prix sel
- 1 prix Poivre, noir, fraîchement moulu
- 1 cuillère à café Noix de muscade, fraîchement râpée
- 250 ml lait

PRÉPARATION

Épluchez d'abord les pommes de terre, lavez-les et coupez-les en gros morceaux. Ensuite, mettez dans une casserole, couvrez d'eau et laissez cuire environ 20 minutes.

Dans les 3 dernières minutes de cuisson, ajoutez les petits pois surgelés aux pommes de terre et faites cuire en même temps. Verser ensuite dans une passoire et bien égoutter, puis transférer dans une casserole.

Faites chauffer le lait dans une casserole pendant environ 3 minutes. Écrasez grossièrement le mélange de pommes de terre et de pois avec un pilon à pommes de terre et versez le lait jusqu'à ce que la purée ait une consistance crémeuse.

Incorporez maintenant le beurre dans la purée de pommes de terre et les petits pois, assaisonnez avec du sel, du poivre et de la muscade râpée. Gardez la purée au chaud jusqu'au moment de servir

FENOUIL CARAMÉLISÉ

Portions: 4

INGRÉDIENTS

- 750 G Bulbe de fenouil
- 5 pièces échalote
- 1 coup Huile d'olive pour la poêle
- 4 cuillères à soupe mon chéri
- 120 ml Vin blanc sec
- 1 cuillère à soupe Zeste de citron râpé (bio)
- 1 prix sel et poivre

PRÉPARATION

Nettoyez et lavez les fenouils, coupez-les au centre et coupez la tige dure, puis coupez-les en fines lanières.

Retirez ensuite la peau des échalotes et hachez-les finement.

Faites maintenant chauffer l'huile dans une poêle et faites-y revenir ou ragoût le fenouil et les échalotes.

Saupoudrer de miel et laisser caraméliser brièvement. Versez le vin blanc, ajoutez le zeste de citron et mélangez.

Faites cuire les légumes environ 10 minutes, puis assaisonnez de sel et de poivre.

STOCK DE VEAU OU STOCK DE

Portions: 10

INGRÉDIENTS

- 2 kilogrammes Os de veau
- 4 pièces Carottes, super
- 2 pièces Oignons
- 1 kpf Céleri-rave, bébé
- 3 pièces Racines de persil
- 2 cuillères à soupe Huile végétale, pour légumes
- 3 Eau, froide
- 3 gl De l'eau, pour les légumes

PRÉPARATION

Préchauffez d'abord le four à 180 ° C haut / bas.

En attendant, rincez les os de veau à l'eau froide et placez-les dans une grande casserole ou un plat allant au four pour que tous les os touchent le fond de la casserole. Ensuite, placez la casserole sur la rampe la plus basse du four préchauffé et faites dorer les os pendant environ 1 heure, sans ajouter de matière grasse.

Pendant ce temps, lavez les carottes, le céleri et les racines de persil et coupez-les en gros morceaux. Épluchez également les oignons et hachez-les grossièrement. Faites chauffer un filet d'huile végétale dans une poêle, faites revenir les légumes coupés en dés et laissez-les prendre une forte couleur en 10 minutes environ.

Ensuite, déglacez le rôti avec 1 verre d'eau, faites bouillir complètement pendant environ 5 minutes et répétez l'opération 2 fois de plus.

Maintenant, sortez la casserole du four, ajoutez les légumes rôtis et versez l'eau. Les os et les légumes doivent être recouverts d'environ 1 cm d'eau.

Réduisez la température à 160 ° C au-dessus / en dessous, laissez le contenu de la casserole mijoter doucement pendant environ 6 heures et retirez la mousse entre les deux.

À la fin de la cuisson, versez le bouillon de veau ou le bouillon de veau à travers une passoire fine dans une grande casserole et laissez refroidir. Retirez la couche blanche de graisse et utilisez-la ailleurs si nécessaire.

Versez le bouillon maintenant visqueux à travers un tamis fin et assurez-vous qu'aucun sédiment n'est renversé avec. Utilisez du bouillon ou du bouillon ou congelez-le par portions.

MORUE À LA VAPEUR AU RADIS

Portions: 4

INGRÉDIENTS

- 900 G filet de cabillaud
- 1 Fédération un radis
- 0.7 Fédération aneth
- 0,5 Fédération ciboulette
- 0,5 pièce Citron bio
- 1 prix sel
- 1 prix poivre
- 3 cuillères à soupe Raifort râpé (verre)
- 1 cuillère à soupe huile d'olive

PRÉPARATION

Tout d'abord, rincez le poisson, séchez-le avec du papier absorbant et retirez les os, de préférence avec une pince à épiler.

Retirez maintenant les légumes et les racines des radis, lavez-les soigneusement et coupez-les en fines tranches.

Lavez, séchez et hachez finement les feuilles délicates de radis, d'aneth et de ciboulette.

Maintenant, lavez le citron à l'eau chaude, coupez-le finement avec le zeste, puis mélangez-le avec les radis et les herbes aromatiques.

Ensuite, étalez un morceau de papier sulfurisé approprié et étalez la moitié du mélange de radis et d'herbes dans le sens de la longueur. Déposer le filet de poisson sur le mélange, assaisonner de sel et de poivre et badigeonner de raifort. Ensuite, étalez le reste du mélange de radis et d'herbes sur le poisson et fermez le couvercle en parchemin.

Maintenant, placez le paquet dans un cuit-vapeur ou une casserole avec un insert de cuit-vapeur et faites cuire à la vapeur pendant environ 25 minutes.

Retirez enfin le paquet, placez-le sur un plat de service, ouvrez au centre et servez la morue cuite à la vapeur avec des radis habillés d'huile d'olive.

COD AUX CHAMPIGNONS

Portions: 4

INGRÉDIENTS

- 500 G filet de cabillaud
- 1 pc Jus de citron
- 0,5 TL sel
- 2 TL Aiguilles de romarin
- 1 cuillère à soupe Farine
- 5 pièces oignons de printemps
- 170 G Champignons
- 2 cuillères à soupe beurre
- 1 prix poivre
- 100 ml vin blanc
- 1 cuillère à soupe Persil haché
- 1 cuillère à soupe Crème fine

PRÉPARATION

Lavez le filet de poisson, séchez-le avec du papier absorbant et coupez-le en petits morceaux. Ensuite, coupez le citron en deux, pressez-le et saupoudrez 1 cuillère à soupe de jus de citron sur les filets de poisson. Enfin, assaisonnez de sel et saupoudrez de farine.

Nettoyez les oignons nouveaux, coupez-les en rondelles, lavez-les et égouttez-les. Nettoyez les champignons, coupez-les en deux et saupoudrez aussitôt de jus de citron.

Faites fondre le beurre dans une casserole, ajoutez les aiguilles de romarin lavées et assaisonnez de poivre. Ajoutez ensuite les champignons et les oignons nouveaux et faites cuire à feu moyen pendant environ 5 minutes.

Ajouter ensuite les morceaux de poisson, faire revenir environ 6 minutes, déglacer au vin blanc et assaisonner de sel, de jus de citron et de poivre.

Enfin, ajoutez la crème fine et servez saupoudrée de persil.

YOGOURT GRANOLA À LA BANANE

Portions: 2

INGRÉDIENTS

- 2 cuillères à soupe Grains de blé
- 3 TL raisins secs
- 3 TL Noix, hachées
- 1 TL son de blé
- 1 pc banane
- 2 cuillères à soupe Miel liquide
- 300 GRAMMES Yaourt, faible en gras
- 60 G Kéfir, faible en gras
- 4 pièces La moitié du noyau de noix, au fil.

PRÉPARATION

Tout d'abord, mettez les grains de blé et les raisins secs dans une petite casserole, couvrez uniquement d'eau et laissez tremper toute la nuit. Le lendemain, égouttez l'eau et ajoutez les noix et le son dans la casserole et mélangez.

Ensuite, épluchez la banane pour le muesli au yaourt avec la banane, coupez une moitié en fines tranches et écrasez l'autre moitié à la fourchette. Disposez les tranches de banane sur 2 bols.

Mélangez la purée de banane avec le miel dans un bol avec le yaourt. Mélangez le kéfir et le mélange de céréales.

Enfin, répartissez le mélange de yogourt entre les deux bols et garnissez chaque portion de deux noix.

SAUCE AU YAOURT À L'AIL

Portions: 4

INGRÉDIENTS

- 1 Bch Yaourt au lait écrémé
- 1 TL Sel aux herbes
- 1 prix poivre
- 4 pièces Gousses d'ail
- 1 Spr Jus de citron

PRÉPARATION

Épluchez d'abord les gousses d'ail et pressez-les à travers le presse-ail dans un bol. Puis bien mélanger avec le yaourt.

Enfin assaisonner la sauce au yogourt et à l'ail avec du jus de citron, du sel aux herbes et du poivre et servir.

Vinaigrette à la moutarde et au miel de yogourt

Portions: 4

INGRÉDIENTS

- 200 G Yaourt nature, plus grec
- 6 TL Miel, liquide
- 4 TL Moutarde de Dijon
- 1 prix sel
- 1 prix Poivre, noir, fraîchement moulu
- 0,5 Fédération ciboulette

PRÉPARATION

Mettez d'abord le yaourt dans un bol et mélangez le miel avec un batteur plat.

Ajoutez ensuite la moutarde, mélangez et assaisonnez avec du sel et du poivre.

Lavez la ciboulette, séchez-la et coupez-la en rouleaux très fins avec des ciseaux. Mélanger les rouleaux de ciboulette dans la sauce moutarde au miel et yogourt.

Assaisonner la vinaigrette avec une pincée de poudre de paprika, couvrir et laisser refroidir.

SALADE DE PAIN ITALIEN - PANZANELLA

Portions: 2

INGRÉDIENTS

- 300 GRAMMES Pain rassis (tout type)
- 1 Spr Huile d'olive (vierge, de bonne qualité)
- 2 pièces Gousses d'ail
- 5 pièces Tomates en grappe
- 2 pièces Concombre
- 1 prix sel
- 1 prix Poivre (fraîchement moulu)
- 250 mg Vinaigre (vinaigre de vin rouge)
- 250 ml l'eau
- 1 prix cassonade

- 1 Fédération basilic
- 1 pc oignon rouge

PRÉPARATION

Coupez d'abord le pain à env. 2 cm de cubes et préchauffez le four à 140 ° C. Puis étalez les cubes de pain sur une plaque à pâtisserie et arrosez d'un filet d'huile.

Dans l'étape suivante, pressez les gousses d'ail avec leur peau et étalez-les sur le pain. Maintenant, faites griller les cubes de pain jusqu'à ce qu'ils soient dorés.

Pendant ce temps, lavez les tomates, coupez-les en deux et coupez le concombre en cubes. Hachez finement l'oignon rouge et mettez-le dans un bol, assaisonnez de sel et laissez reposer environ 10 minutes.

Ajoutez maintenant les tomates et les concombres aux oignons et assaisonnez au goût avec de l'huile d'olive, du vinaigre, de l'eau, de la cassonade, du sel et du poivre fraîchement moulu.

Ajouter enfin les cubes de pain grillé et bien mélanger avec les feuilles de basilic. Laisser reposer environ 10 minutes puis servir.

SOUPE D'OIGNON ITALIENNE

Portions: 4

INGRÉDIENTS

- 4 TL Persil, frais, haché
- 2 pièces Gousses d'ail
- 5 pièces Oignons
- 3 cuillères à soupe L'huile d'olive, pour le pot
- 300 ml Vin blanc sec
- 450 ml Bouillon de légumes, bien sûr
- 1 cuillère à soupe Jus de citron
- 1 TL sel
- 0,5 TL poivre
- 4 Schb Pain blanc, grillé
- 250 G Pecorino râpé
- 0,5 TL du sucre

- 1 coup Vinaigre de vin

PRÉPARATION

Pour la soupe à l'oignon italienne, épluchez d'abord les oignons et coupez-les en tranches. Épluchez et hachez finement l'ail également.

Faites ensuite chauffer l'huile d'olive dans une casserole et faites-y dorer l'oignon et les morceaux d'ail.

Déglacer avec le bouillon de vin et de légumes et mettre le couvercle. Laisser mijoter environ 10 minutes à basse température, ajouter du sel, du poivre, du sucre et assaisonner au goût avec du jus de citron et une pincée de vinaigre de vin.

À l'aide d'un verre ou d'un emporte-pièce, découpez des petits cercles dans du pain blanc (ou des croûtons), saupoudrez de fromage et faites cuire au four à env. 170 degrés pendant env. 10 minutes.

Disposer la soupe à l'oignon sur des assiettes et servir les tranches de pain grillé gratinées en insert.

CONFITURE DE GINGEMBRE AUX

Portions: 4

INGRÉDIENTS

- 5 pièces Des oranges
- 45 ml Jus d'orange, non sucré
- 500 G Stockage du sucre, 2: 1
- 1 pc Gingembre, frais (environ la taille d'un pouce)

PRÉPARATION

Retirez la peau des oranges, divisez-les en quartiers et coupez-les en filet - retirez également les pierres. Pesez les filets d'orange et utilisez 500 grammes supplémentaires.

Ensuite, épluchez le gingembre et râpez-le finement, puis pesez 10 grammes.

Mélangez ensuite le jus d'orange dans une casserole avec les filets d'orange, le gingembre et le sucre glace, portez à ébullition et faites bouillir à feu vif en remuant constamment (environ 4 minutes). Retirez la mousse résultante.

Ensuite, remplissez immédiatement la confiture de gingembre chaude avec des oranges dans des bocaux stérilisés et fermez-les hermétiquement avec un bouchon à vis. Retourner et laisser reposer 5 minutes.

TREMPETTE AU GINGEMBRE ET

Portions: 4

INGRÉDIENTS

- 250 G Crème sure ou crème fraîche
- 3 cm Gingembre
- 1 pc Citrons, jus et pelure
- 1 prix sel
- 5 cm Citronnelle

PRÉPARATION

Peler et râper finement ou hacher le gingembre. Lavez la citronnelle, secouez-la pour qu'elle sèche et hachez-la très finement.

Mélangez ensuite les deux dans un bol avec le jus de citron et le zeste râpé.

Enfin, incorporer la crème sure et assaisonner la sauce au gingembre et au citron avec du sel.

CURRY DE CREVETTES

Portions: 4

INGRÉDIENTS

- 1 cuillère à soupe Curcuma
- 1,5 TL Coriandre moulue
- 2 cuillères à soupe Coriandre, fraîche
- 1 TL cumin
- 1 prix Noix de muscade
- 1 pc Gingembre, frais, environ 5 cm
- 3 pièces Gousses d'ail
- 2 pièces Oignons
- 3 cuillères à soupe Huile d'arachide
- 400 G Morceaux de tomate (Paquet Tetra)
- 200 ml l'eau
- 5 cuillères à soupe Jus de citron

- 5 pièces feuilles de curry
- 800 G Crevettes, fraîches
- 1 Stg cannelle
- 1 prix Poudre de chili

PRÉPARATION

Tout d'abord, mélangez le curcuma, la coriandre, le cumin, la poudre de chili et la muscade dans un bol.

Ensuite, épluchez le gingembre et frottez-le avec les épices dans le bol. Épluchez l'ail, passez-le avec un presse-ail et ajoutez-le. Ajoutez ensuite 5 cuillères à soupe d'eau et mélangez pour faire une pâte.

Épluchez et hachez finement les oignons et faites-les revenir dans une poêle avec de l'huile chaude jusqu'à ce qu'ils soient translucides.

Incorporer ensuite la pâte d'épices, laisser mijoter 1 minute, puis ajouter les morceaux de tomates, verser l'eau et ajouter le jus de citron, le bâton de cannelle et les feuilles de curry. Maintenant, laissez mijoter environ 30 minutes.

En attendant, lavez les crevettes, séchez-les avec du papier absorbant et ajoutez-les au curry 4 minutes avant de servir. Ensuite, retirez à nouveau le bâton de cannelle et les feuilles de curry.

Lavez les feuilles de coriandre, secouez, hachez finement et servez le curry de crevettes indiennes saupoudré.

FILET DE POULET AUX CHAMPIGNONS ET PERSIL

Portions: 4

INGRÉDIENTS

- 1 prix sel
- 2 cuillères à soupe Persil (frais)
- 2 cuillères à soupe huile
- 2 cuillères à soupe Farine
- 2 pièces Ail
- 750 ml Bouillon de légumes
- 800 G Filet de poulet
- 200 G Champignons
- 1 pc oignon
- 1 prix poivre

- 1 coup crème

PRÉPARATION

Tout d'abord, épluchez et hachez l'oignon. Faites chauffer l'huile dans une poêle, puis faites griller les morceaux d'oignon, saupoudrez de farine et ajoutez le bouillon de légumes.

Lavez le persil, séchez-le, hachez-le et ajoutez-le. Nettoyer, laver, trancher et ajouter les champignons.

Retirer la peau et les tendons du filet de poulet, puis rincer à l'eau, sécher en tapotant, couper en petits morceaux et mélanger. Maintenant, laissez mijoter pendant environ 10 à 15 minutes.

Juste avant de servir, affiner avec un peu de crème et, si nécessaire, épaissir avec un épaississant pour la sauce. Assaisonnez avec du sel et du poivre.

BANDES DE POITRINE DE POULET ITALIENNE

Portions: 4

INGRÉDIENTS

- 600 G Filets de poitrine de poulet
- 1 prix sel
- 2 cuillères à soupe L'huile d'olive, pour la poêle
- 1 prix poivre

Pour la sauce tomate

- 300 GRAMMES Tomates pelées (boîte)
- 4 pièces Gousses d'ail
- 1 pc oignon
- 1 prix sel
- 1 prix poivre

- 1 TL du sucre
- 1 coup Bouillon de légumes

PRÉPARATION

Lavez le poulet, séchez-le avec du papier absorbant, retirez la peau et les tendons, coupez-les en lanières d'env. 1 cm d'épaisseur et assaisonner de sel et de poivre.

Faites chauffer l'huile d'olive dans une poêle et faites revenir les lanières de poulet des deux côtés pendant quelques minutes. Ensuite, retirez la viande de la poêle et gardez-la au chaud.

Pour la sauce tomate, épluchez l'ail et les oignons, hachez-les finement et faites-les rôtir brièvement dans le rôti.

Ajoutez ensuite les tomates pelées, assaisonnez de sel, poivre et sucre, ajoutez un peu de bouillon de légumes si nécessaire et laissez mijoter quelques minutes.

Filtrer ensuite la sauce tomate (= tamis) et servir avec les lanières de poitrine de poulet.

PORRIDGE DEL MIGLIO AUX RAISINS

Portions: 1

INGRÉDIENTS

- 700 ml lait
- 1 prix sel
- 100 GRAMMES Flocons de millet bio
- 1 Pa Raisins
- 1 TL sucre vanillé
- 1 cuillère à soupe mon chéri

PRÉPARATION

Pour la polenta au millet, mettez d'abord le lait dans une casserole, portez à ébullition avec le millet et laissez mijoter pendant environ 15-20 minutes en remuant de temps en temps.

Assaisonnez ensuite la polenta de millet avec une pincée de sel, du sucre vanillé et, si vous le souhaitez, un peu de miel.

Versez le moût dans un bol, coupez ou coupez les raisins en deux et étalez-les dessus. Si nécessaire, saupoudrez un peu de cannelle moulue ou de cacao en poudre.

MILLET COMPOSE AVEC POMME ET CANNELLE

Portions: 4

INGRÉDIENTS

- 1 pc Citron
- 250 G mile
- lait de soja
- 7 cuillères à soupe Sirop d'agave
- 3 pièces Pommes
- 1 TL Poudre de cannelle
- 30 G amandes
- 100 GRAMMES Yaourt nature

PRÉPARATION

Rincez d'abord le millet à l'eau tiède à travers un tamis et égouttez-le bien.

Chauffer ensuite le lait de soja dans une casserole à feu moyen et incorporer 5 cuillères à soupe de sirop d'agave.

Ajoutez ensuite le millet et laissez le tout gonfler (ne pas bouillir) pendant 20 minutes en remuant de temps en temps.

Pendant ce temps, épluchez, épépinez et égrappez les pommes et coupez-les en cubes.

Ensuite, lavez et séchez le citron et frottez finement la peau avec une râpe de cuisine. Maintenant, coupez le citron en deux et pressez-le.

Portez ensuite à ébullition le jus de citron avec les 2 cuillères à soupe restantes de sirop d'agave à feu vif et ajoutez les pommes et la cannelle. Faites chauffer le tout à feu moyen pendant encore 5 minutes.

À l'étape suivante, faites rôtir les flocons d'amande dans une poêle sans huile pendant 5 minutes à feu moyen jusqu'à ce qu'ils soient dorés.

Mélangez ensuite le millet avec le mélange pomme et cannelle et aussi avec le yaourt.

Versez enfin les amandes sur la compote de millet avec pomme et cannelle et servez.

GAZPACHO CHAUD

Portions: 4

INGRÉDIENTS

- 1 pc oignon
- 1 pc Paprika, jaune
- 1 pc Paprika, rouge
- 200 G courgette
- 200 G Morceaux de tomate (TetraPack)
- 2 cuillères à soupe huile d'olive
- 1 cuillère à soupe Thym, haché
- 450 ml Bouillon de légumes
- 25 G Gingembre
- 100 ml Crème fraîche au fromage
- 4 cuillères à soupe Jus de citron
- 0,5 TL Sambal Oelek
- 1 pc gousse d'ail

PRÉPARATION

Coupez les poivrons en deux, évidez-les, lavez-les et coupez-les en cubes. Lavez les courgettes et coupez-les en petits morceaux. Mettez de côté des légumes en dés pour la garniture.

Épluchez l'oignon et l'ail et hachez-les finement.

Faites chauffer l'huile dans une casserole et faites dorer les morceaux d'oignon et d'ail. Ajouter ensuite le thym et le poivre et les courgettes hachées grossièrement, faire revenir brièvement puis incorporer les tomates. Versez ensuite sur le bouillon de légumes, couvrez avec le couvercle et laissez mijoter pendant 15 minutes.

Ensuite, fouettez finement la soupe et passez au tamis dans une autre casserole. Épluchez le gingembre, coupez-le en cubes, ajoutez-le à la soupe avec la crème fraîche et portez-le à ébullition.

Enfin, assaisonnez le gaspacho chaud avec du sambal oelek et du jus de citron, répartissez-le dans des bols, parsemez des légumes que vous avez mis de côté et servez saupoudré d'un peu de persil.

LIER AVEC SAUCE HUNTER

Portions: 4

INGRÉDIENTS

- 5 cuillères à soupe Huile de tournesol
- 2 cuillères à soupe Beurre clarifié
- 1 cuillère à soupe Cognac
- 5 Schb Bacon, mélangé
- 150 G Champignons
- 5 cuillères à soupe Bouillon de légumes
- 1 pc Lapin, démonté
- 1 pc gousse d'ail
- 1 pc Jus de citron
- 3 pièces tomates
- 1 prix sel et poivre
- 1 cuillère à soupe Farine

PRÉPARATION

Épluchez l'ail et passez-le dans le presse-ail. Pressez le citron et récupérez le jus.

Pour la marinade, mélangez l'huile, l'ail et le jus de citron, le sel et le poivre. Frotter et verser sur les morceaux de lapin et laisser mariner au moins 4 heures.

Nettoyez les champignons et coupez-les en morceaux de taille égale (moitié ou quart).

Blanchir les tomates dans l'eau chaude, les éplucher et les couper en petits morceaux

Égouttez la viande dans une passoire en récupérant la marinade. Sécher les morceaux de lapin avec du papier absorbant.

Faire fondre le beurre clarifié dans une casserole et faire revenir les lardons à feu moyen jusqu'à ce qu'ils soient dorés. Ajouter les morceaux de lièvre et les faire frire environ 30 minutes à feu doux en retournant souvent les morceaux.

Versez le bouillon de légumes, le cognac et la marinade. Ajouter les champignons et les tomates, couvrir et laisser mijoter encore 40 minutes.

Retirer les morceaux de lièvre, assaisonner au goût et épaissir avec de la farine.

FROMAGE MAIN AVEC MUSIQUE

Portions: 3

INGRÉDIENTS

- 3 pièces Fromage artisanal
- 1 prix poivre
- 1 prix sel
- 1 prix graines de cumin
- 1 coup Vinaigre de vin
- 1 Bch Cèdre
- 2 cuillères à soupe huile
- 1 pc Oignon, bébé
- 1 prix Persil haché
- 1 Schb oignon rouge

PRÉPARATION

Tout d'abord, sortez le fromage de l'emballage à la main, placez-le dans un bol refermable et versez l'huile dessus jusqu'à ce qu'il brille légèrement.

Versez maintenant le cidre et une pincée de vinaigre de vin et faites mariner le fromage à la main.

Ajoutez un peu de sel et de poivre au goût.

L'ajout d'un peu de cumin soulage l'estomac du plat.

Pour la "musique", épluchez les oignons, coupez-les en très petits cubes et saupoudrez-les sur le fromage.

Maintenant, fermez la boîte avec le couvercle, retournez-la et secouez un peu pour que tous les ingrédients se mélangent bien.

Faites tremper le fromage à la main au réfrigérateur pendant 6 heures et laissez-le reposer.

Ensuite, disposez le fromage sur 3 assiettes, versez le bouillon dessus et servez saupoudré de persil.

GRUAU

Portions: 2

INGRÉDIENTS

- 200 G Gruau, très bien
- 1 prix sel
- 1 cuillère à soupe du sucre
- 400 ml lait
- 1 prix Poudre de cannelle
- 1 TL sucre vanillé

PRÉPARATION

Mettez le lait avec les flocons d'avoine, une pincée de sel, le sucre et le sucre vanillé dans une casserole et portez brièvement à ébullition. Remuez constamment pour que le gruau ne brûle pas.

Retirez ensuite le pot de l'assiette et laissez-le tremper pendant 5 bonnes minutes avec le couvercle fermé.

Ensuite, versez le gruau dans de petits bols et servez saupoudré de sucre et de cannelle.

GRAINS DE MAÏS AUX BANANES

Portions: 2

INGRÉDIENTS

- 100 GRAMMES gruau
- 300 ml l'eau
- 1 prix sel
- 2 pièces banane
- 50 GRAMMES Mélange de fruits séchés

PRÉPARATION

Épluchez d'abord la banane et coupez-la en tranches. Puis porter à ébullition l'eau chaude, les flocons d'avoine et le sel dans une casserole et laisser mijoter pendant 5 minutes. Mélangez toujours pour que le mélange devienne crémeux.

Juste avant la fin de la cuisson, incorporer le mélange de fruits et laisser mijoter brièvement. Versez le mélange dans des bols et étalez-y les tranches de banane.

BOISSON DE FARINE D'AVOINE

Portions: 2

INGRÉDIENTS

- 200 G Yaourt nature ou aux fruits
- 1 pc Banane, super
- 4 cuillères à soupe Gruau, copieux
- 100 ml du jus d'orange

PRÉPARATION

Pour cette boisson saine, versez du yogourt nature dans une grande tasse. (Si vous n'aimez pas tant la nature, prenez simplement du yaourt aux fruits.)

Retirez ensuite une banane de la peau et coupez-la en morceaux. Mettez ces morceaux avec les flocons d'avoine dans la tasse avec du yogourt.

Mélangez ensuite le tout finement, de préférence avec un mélangeur à immersion.

Si la boisson est un peu trop épaisse, ajoutez du jus d'orange.

Enfin, répartissez la boisson à l'avoine dans 2 verres et servez.

BANDES DE POITRINE DE POULET AU PAPRIKA

Portions: 2

INGRÉDIENTS

- 2 pièces poivron rouge
- 1 pc gousse d'ail
- 400 G Filet de poitrine de poulet
- 1 cm Gingembre frais
- 2 au milieu Thym, frais
- 4 cuillères à soupe L'huile de colza
- 1 prix sel
- 1 prix Poivre, fraîchement moulu
- 50 ml Bouillon de légumes

PRÉPARATION

Coupez d'abord les poivrons en deux, évidez-les et évidez-les, lavez-les sous l'eau courante et coupez-les en lanières.

Ensuite, épluchez et hachez finement l'ail. Épluchez, lavez et râpez finement le gingembre. Lavez les brins de thym, secouez-les pour les sécher, retirez les feuilles et hachez-les finement.

Retirer la peau et les tendons des filets de poitrine de poulet, rincer à l'eau froide, sécher avec du papier absorbant, les couper en lanières et assaisonner de sel et de poivre.

Faites maintenant chauffer 2 cuillères à soupe d'huile dans une poêle et faites revenir les lanières de poitrine de poulet tout autour pendant 5 minutes jusqu'à ce qu'elles soient dorées. Retirer ensuite de la poêle et réserver.

Réchauffez 2 cuillères à soupe d'huile dans la poêle, puis faites revenir les lanières de poivrons, l'ail et le gingembre à feu moyen pendant 3 minutes. Ajoutez ensuite le thym, le sel, le poivre et déglacez avec le bouillon de légumes. Faites cuire les légumes à la vapeur pendant 5 minutes.

Remettez maintenant les lanières de poitrine de poulet dans la poêle, pliez-les sous les légumes et continuez à faire frire pendant 4 minutes.

SALADE DE POITRINE DE POULET

S.

Portions: 4

INGRÉDIENTS

- 2 pièces Filet de poitrine de poulet grillé
- 3 Stg Céleri-rave
- 2 pièces Carottes
- 5 pièces oignons de printemps
- 2 cuillères à soupe Flocons d'amande

pour la marinade

- 2 cuillères à soupe raisins secs
- 3 cl Sherry, moyennement sec
- 1 prix sel et poivre
- 5 cuillères à soupe huile d'olive
- 1 prix poivre de Cayenne

- 1 coup vinaigre de vin blanc

PRÉPARATION

Tout d'abord, faites chauffer environ 50 ml d'eau, ajoutez-le aux raisins secs, puis versez l'eau, séchez les raisins secs avec du papier absorbant, mettez-les dans une tasse, versez le sherry dessus et laissez infuser.

Pendant ce temps, coupez les filets de poitrine de poulet grillés en petits morceaux.

Grattez les carottes et coupez-les en fines bâtonnets. Si nécessaire, retirez les gros brins du céleri, lavez le céleri et coupez-le en petits morceaux. Nettoyez les oignons de printemps, retirez les racines, lavez et coupez les oignons de printemps en rondelles. Mettez ensuite la viande, les carottes, le céleri et les oignons nouveaux dans un bol.

Pour la marinade, mélangez le vinaigre avec du sel et du poivre. Mélangez les raisins secs avec le sherry et l'huile d'olive dans le vinaigre et assaisonnez avec du poivre de Cayenne.

Versez ensuite la marinade sur les ingrédients de la salade, mélangez bien et servez la salade de poitrine de poulet garnie des flocons d'amande.

CONCLUSION

Si vous voulez perdre quelques kilos, le régime pauvre en glucides et en gras atteindra éventuellement vos limites. Bien que le poids puisse être réduit avec des régimes, le succès n'est généralement que de courte durée car les régimes sont trop unilatéraux. Donc, si vous voulez perdre du poids et éviter l'effet yo-yo classique, vous devriez plutôt vérifier votre bilan énergétique et recalculer vos besoins caloriques quotidiens.

L'idéal est d'adhérer à une variante douce du régime faible en gras avec 60 à 80 grammes de matières grasses par jour à vie. Il aide à maintenir le poids et protège contre le diabète et les lipides sanguins élevés avec tous leurs risques pour la santé.

Le régime pauvre en graisses est relativement facile à mettre en œuvre car il suffit de renoncer aux aliments gras ou de limiter sévèrement leur proportion dans la quantité quotidienne de nourriture. Avec le régime pauvre en glucides, cependant, une planification beaucoup plus précise et une plus grande endurance sont nécessaires. Tout ce qui vous remplit vraiment est généralement riche en glucides et doit être évité. Dans certaines circonstances, cela peut entraîner des fringales et donc un échec de l'alimentation. Il est essentiel que vous mangiez correctement. De nombreuses compagnies d'assurance maladie publiques proposent donc des cours de prévention ou paient des conseils nutritionnels individuels. Ce conseil est extrêmement important, surtout si vous décidez de suivre un régime amaigrissant où vous souhaitez changer définitivement le régime entier. La prise en charge de ces mesures par votre assurance maladie privée dépend du taux que vous avez souscrit.

RECETTES FAIBLES EN GRAS

Un livre de cuisine faible en gras avec plus de 50 recettes simples et rapides

Ellis Chevalier

Avertissement

Les informations contenues dans je suis destiné à servir de collection complète de stratégies que l'auteur de cet eBook a recherchées. Les résumés, stratégies, trucs et astuces ne sont que les recommandations de l'auteur, et la lecture de cet eBook ne garantit pas que vos résultats reflètent fidèlement les résultats de l'auteur. L'auteur de l'eBook a fait tous les efforts raisonnables pour fournir des informations à jour et exactes aux lecteurs de l'eBook. L'auteur et ses associés ne seront pas tenus responsables des erreurs ou omissions involontaires qui pourraient être trouvées. Le contenu de l'eBook peut inclure des informations provenant de tiers. Les documents de tiers regroupés les opinions exprimées par leurs propriétaires respectés. A ce titre, l'auteur du

INTRODUCTION

Un régime faible en gras réduit la quantité de graisse ingérée par les aliments, parfois de manière drastique. En fonction de la mise en œuvre extrême de ce régime ou de ce concept nutritionnel, seuls 30 grammes de matières grasses peuvent être consommés par jour.

Avec une alimentation complète conventionnelle selon l'interprétation de la Société allemande de nutrition, la valeur recommandée est plus du double (environ 66 grammes ou 30 à 35 pour cent de l'apport énergétique quotidien). En avant les graisses alimentaires, les kilos devraient chuter et / ou ne pas reposer sur les hanches.

Bien qu'il n'y ait pas des interdits en soi avec ce régime: avec la saucisse de foie, la crème et les frites, vous avez atteint votre limite quotidienne de graisse plus rapidement que vous ne diriez "loin d'être plein ". Par conséquent, pour un régime à faible teneur en matières grasses, les aliments à faible teneur en matières grasses doivent se retrouver principalement ou exclusivement dans l'assiette, de préférence les «bonnes» graisses telles que les huiles de poisson et végétales.

QUELS SONT LES AVANTAGES D'UNE RÉGIME FAIBLE EN GRAS?

Les graisses renferment des acides gras essentiels (essentiels). Le corps a également besoin de graisse pour pouvoir absorber certaines vitamines (A, D, E, K) des aliments. Éliminer complètement les graisses de votre alimentation ne serait donc pas une bonne idée.

En fait, en particulier dans les pays riches en industrie, on consomme beaucoup plus de graisses chaque jour que ce que recommandent les experts. Un problème avec cela est que la graisse est particulièrement riche en énergie: un gramme contient 9,3 calories et donc le double d'un gramme de glucides ou de protéines. Un apport plus élevé en graisses favorise donc l'obésité. De plus, on dit que trop d'acides gras saturés, comme ceux du beurre, du saindoux ou du chocolat, augmenter le risque de maladies cardiovasculaires et même de cancer. Manger des régimes faibles en gras pourrait éviter ces deux problèmes.

ALIMENTS FAIBLES EN GRAS: TABLEAU DES ALTERNATIVES MAIGRES

La plupart des gens doivent savoir qu'il n'est pas sain de faire le plein de graisse incontrôlée. Les sources évidentes de graisse telles que les bords de graisse sur la viande et les saucisses ou les lacs de beurre dans la casserole sont faciles à éviter.

Cela devient plus difficile avec les graisses cachées, comme celles que l'on trouve dans les bonbons ou les fromages. Avec ce dernier, la quantité de matière grasse est parfois appelée pourcentage absolu, parfois «% FiTr», c'est-à-dire la teneur en matière grasse de la matière sèche qui se forme lorsque l'eau est éliminée des aliments.

Pour un régime faible en gras, vous devez faire attention, car un fromage blanc à la crème avec 11,4% de matières grasses sonne moins gras qu'un avec 40% de fiTr. Les deux produits ont la même teneur en matières grasses. Des listes d'experts en nutrition (par exemple la DGE) permettent d'intégrer le plus facilement possible une alimentation faible en gras dans la vie de tous les jours et de voir les risques de trébuchement. Par exemple, voici un au lieu d'une table (aliments riches en matières grasses avec des alternatives faibles en matières grasses):

Les aliments riches en matières grasses

Alternatives faibles en gras

Beurre

Fromage à la crème, fromage blanc aux herbes, moutarde, crème sûre, concentré de tomate

Frites, pommes de terre sautées, croquettes, crêpes de pommes de terre

Pommes de terre au four, pommes de terre au four ou pommes de terre au four

Poitrine de porc, saucisse, oie, canard

Veau, chevreuil, dinde, escalope de porc, -lende, poulet, magret de canard sans peau

Lyoner, mortadelle, salami, saucisse de foie, boudin noir, bacon

Jambon cuit / fumé sans bord gras, saucisses maigres telles que jambon de saumon, poitrine de dinde, viande rôtie, saucisse aspic

Alternatives sans gras à la saucisse ou au fromage ou à accompagner avec eux

Tomate, concombre, tranches de radis, laitue sur pain ou même tranches de banane / quartiers de pomme fins, fraises

Bâtonnet de poisson

Poisson cuit à la vapeur faible en gras

Thon, Saumon, Maquereau, Hareng

Morue à la vapeur, lieu noir, haddock

Lait, yogourt (3,5% de matière grasse)

Lait, yogourt (1,5% de matière grasse)

Crème de quark (11,4% de matière grasse = 40% de fiTr.)

Quark (5,1% de matière grasse = 20% FiTr.)

Fromage à la crème double (31,5% de matière grasse)

Fromage étagé (2,0% de matière grasse = 10% FiTr.)

Fromage gras (> 15% de matière grasse = 30% FiTr.)

Fromages allégés (max 15% de matière grasse = max 30% de fiTr.)

Crème fraîche (40% de matière grasse)

Crème sure (10% de matière grasse)

Mascarpone (47,5% de matière grasse)

Fromage à la crème granuleux (2,9% de matière grasse)

Gâteau aux fruits avec pâte brisée

Gâteau aux fruits avec levure ou pâte éponge

Gâteau éponge, gâteau à la crème, biscuits au chocolat, pâte brisée, chocolat, barres

Des desserts maigres comme du pain russe, des doigts de dame, des fruits secs, des oursons en gélatine, de la gomme aux fruits, des mini bisous au chocolat (attention: le sucre!)

Crème de nougat aux noix, tranches de chocolat

Fromage à la crème granuleux avec un peu de confiture

des croissants

Croissants Bretzels, petits pains complets, viennoiseries au levain

Noix, chips

Bâtonnets de sel ou bretzels

Crème glacée

Glace aux fruits

Olives noires (35,8% de matière grasse)

Olives vertes (13,3% de matière grasse)

RÉGIME FAIBLE EN GRAS: COMMENT ÉCONOMISER DES GRAISSES DANS LA FAMILLE

En plus de l'échange d'ingrédients, il existe quelques autres astuces que vous pouvez utiliser pour intégrer un régime faible en gras dans votre vie quotidienne:

La cuisson à la vapeur, le ragoût et les grillades sont des méthodes de cuisson faibles en gras pour un régime faible en gras.

Cuire dans le Römertopf ou avec des casseroles spéciales en acier inoxydable. Les aliments peuvent également être préparés sans gras dans des casseroles enduites ou en papier d'aluminium.

Vous pouvez également économiser la graisse avec un pulvérisateur à pompe: versez environ la moitié de l'huile et de l'eau, secouez-la et vaporisez-la sur le fond de la poêle avant de la faire frire. Si vous n'avez pas de pulvérisateur à pompe, vous pouvez graisser le pot avec une brosse - cela économise également de la graisse.

Pour un régime faible en gras dans les sauces à la crème ou les ragoûts, remplacez la moitié de la crème par du lait.

Laisser refroidir les soupes et les sauces, puis retirer le gras de la surface.

Préparez les sauces avec un filet d'huile, de crème sure ou de lait.

Le bouillon de légumes et de rôti peut être accompagné d'une purée de légumes ou de pommes de terre crues râpées pour un régime faible en gras.

Placer du papier sulfurisé ou du film plastique sur la plaque à pâtisserie pour éviter de graisser.

Ajoutez simplement un petit morceau de beurre et des herbes fraîches aux plats de légumes et bientôt vos yeux mangeront aussi.

Nouez les plats de crème avec la gélatine.

ALIMENTATION FAIBLE EN GRAS: QUELLE EST-ELLE VRAIMENT SAINE?

Depuis longtemps, les experts en nutrition sont convaincus qu'une alimentation faible en gras est la clé d'une silhouette mince et de la santé. Le beurre, la crème et la viande rouge, par contre, étaient prévus comme un danger pour le cœur, les valeurs sanguineset les escaliers. Cependant, de plus en plus d'études suggèrent que la graisse n'est pas aussi mauvaise qu'elle l'est. Contrairement à un plan nutritionnel à faible teneur en matières grasses, les sujets testés pourraient, par exemple, s'en tenir à un menu méditerranéen avec beaucoup d'huile végétale et de poisson, être en meilleure santé et ne pas grossir.

En comparant différentes études sur les graisses, les chercheurs américains ont démontré qu'il n'y avait aucun lien entre la consommation de graisses saturées et le risque de maladie coronarienne. Il n'y avait pas non plus de preuve scientifique claire que les régimes pauvres en graisses prolongeaient la vie. Seules les graisses dites trans, qui sont, entre autres, lors de la friture et du durcissement partiel des graisses végétales (dans les frites, les chips, les produits de boulangerie prêts à l'emploi, etc.), ont été classées comme dangereux par les scientifiques.

Ceux qui mangent uniquement ou principalement des aliments faibles en gras ou sans gras sont susceptibles de manger plus consciemment en général, mais courent le risque de consommer trop peu de «bons gras». Il existe également un risque de carence en vitamines liposolubles, dont notre corps a besoin pour absorber les graisses.

Régime faible en gras: l'essentiel

Un régime faible en gras vous oblige à prendre soin des aliments que vous avez l'intention de consommer. En conséquence, vous serez probablement plus consciencieux des achats, de la cuisine et des repas.

Pour perdre du poids, cependant, ce n'est pas principalement la provenance des calories qui compte, mais le fait que vous consommez moins de calories par jour que vous n'en utilisez. Plus encore: les graisses (essentielles) sont nécessaires à la santé globale, car sans elles, le corps ne peut pas utiliser certains nutriments et ne peut pas effectuer certains processus métaboliques.

En résumé, cela signifie: Un régime pauvre en graisses peut être un moyen efficace de contrôler le poids ou de compenser l'indulgence des graisses. Il n'est pas recommandé d'abandonner complètement les graisses alimentaires.

POMMES DE TERRE EN VESTE AVEC QUARK AUX HERBES

Portions: 4

INGRÉDIENTS

- 1 kg pommes de terre
- verser le quark aux herbes
- 1 TL sel
- 1 pc Échalote (petite)
- 1 Fédération ciboulette
- 0,5 Fédération persil
- 0,5 Fédération ciboulette
- 500 G quark faible en gras
- 100 ml lait
- 1 cuillère à soupe Crème fraîche au fromage
- 1 prix poivre

PRÉPARATION

Lavez d'abord les pommes de terre et faites-les cuire avec leur peau dans de l'eau salée pendant environ 20 minutes.

Pendant ce temps, préparez le quark aux herbes. Pour ce faire, épluchez l'échalote et coupez-la en très petits cubes. Lavez bien la ciboulette fraîche, un bouquet de persil et d'aneth, secouez et hachez finement.

Mélangez les herbes fraîches avec le fromage blanc, le lait et la crème fraîche et assaisonnez avec du sel et du poivre.

En fin de cuisson, égouttez les pommes de terre, épluchez-les et servez les pommes de terre en papillote avec le fromage blanc.

SALADE DE PÂTES

S.

Portions: 4

INGRÉDIENTS

- 250 G Penne (nouilles de blé dur)
- 200 G Tomates à cocktail
- 1 Fédération basilic
- 1 coup huile d'olive
- 1 coup Vinaigre balsamique
- 1 prix sel

PRÉPARATION

Pour la salade de pâtes, faites d'abord cuire les tagliatelles dans une casserole avec de l'eau salée pendant environ 10 à 12 minutes jusqu'à ce qu'elles soient al dente. Les nouilles sont parfaites lorsqu'elles ne sont plus dures mais seulement fermes à la morsure. Ensuite, égouttez les pâtes à travers un tamis.

Pendant ce temps, lavez les tomates et coupez-les en deux. Lavez le basilic frais, secouez pour sécher et retirez les feuilles des tiges.

Mettez ensuite les penne dans un bol, mélangez avec les tomates, assaisonnez avec l'huile d'olive, le vinaigre balsamique et le sel et ajoutez enfin les feuilles de basilic.

RIZ PAPRIKA

S.

Portions: 4

INGRÉDIENTS

- 1 pc   Poivron jaune
- 2 pièces   poivron rouge
- 2 cuillères à soupe   huile d'olive
- 250 G riz
- 500 ml l'eau
- 1 TL   sel
- 0,5 TL Poudre de paprika, chaude comme une rose
- 2 cuillères à soupe   Pâte de tomate
- 2 cuillères à soupe   Persil haché

PRÉPARATION

Coupez les poivrons en deux, épépinez-les, lavez-les et coupez-les en très petits cubes. Faites ensuite dorer les morceaux de poivron dans une casserole avec de l'huile d'olive.

Ajoutez ensuite le riz et mélangez brièvement. Versez l'eau, saupoudrez de paprika en poudre et de sel, portez à ébullition et gonflez pendant environ 10-15 minutes à feu doux avec le couvercle fermé - jusqu'à ce que l'eau soit absorbée par le riz.

Enfin, incorporez le persil haché et la pâte de tomate dans le riz au paprika.

POIVRONS DE CLOCHE AVEC REMPLISSAGE DE COUSCOUS DE LÉGUMES

Portions: 4

INGRÉDIENTS

- 8 pièces Piment doux, rouge, vert, jaune
- 500 ml Bouillon de légumes
- 300 GRAMMES couscous
- 3 pièces Échalotes, finement hachées
- 0,5 Fédération ciboulette
- 1 prix sel
- 1 prix Poivre du moulin
- 1 prix du sucre
- 1 prix poudre de curry
- 1 TL Beurre à tartiner

- 100 GRAMMES Tomates à cocktail

PRÉPARATION

Lavez les poivrons, coupez le couvercle, retirez les graines puis faites-les cuire dans une casserole avec de l'eau salée pendant environ 2 minutes et rincez à l'eau froide.

Portez ensuite le bouillon de légumes à ébullition, versez le couscous dessus et laissez tremper 10 bonnes minutes.

Pendant ce temps, lavez les tomates et coupez-les en deux. Nettoyez et hachez finement les échalotes. Lavez la ciboulette, séchez-la et hachez-la finement.

Mélangez ensuite le couscous trempé avec l'échalote, les tomates et la ciboulette et assaisonnez avec du sel, du poivre, du curry en poudre et du sucre.

Remplissez les poivrons avec le mélange de couscous, tartinez de beurre, replacez le couvercle, mettez les poivrons dans un plat allant au four (ou un plat allant au four ou un moule réfractaire) et mettez-les au four préchauffé à environ 180 degrés (feu vif-doux) pendant environ 15-20 Cuire pendant minutes.

PAPAS ARRUGADAS (POMMES DE TERRE AU SEL ET RACINES)

Portions: 4

INGRÉDIENTS

- 250 G sel de mer
- 1 l l'eau
- 1 kg Pommes de terre, cireuses, de petite et moyenne taille

PRÉPARATION

Papas Arrugadas est un plat de pommes de terre traditionnelle des îles Canaries (Espagne). Pour ce faire, lavez bien les pommes de terre et mettez-les juste assez d'eau pour les recouvrir toutes dans la casserole.

Ajouter le sel, porter à ébullition les pommes de terre pelées, ramener à feu moyen et couvrir la casserole avec un couvercle pour que l'eau puisse s'évaporer.

Maintenant, faites cuire les pommes de terre doucement pendant environ 20-25 minutes (selon la taille des pommes de terre) jusqu'à ce qu'elles soient tendres, mais elles ne devraient pas être détrempées.

Versez ensuite l'eau de cuisson, séchez la casserole et remettez-la sur la plaque du four qui a été éteinte pendant environ 30 minutes. Les pommes de terre s'évaporent et prennent une croûte de sel légère et blanchâtre - elles présentent également l'aspect froissé typique.

LAIT PANNA COTTA

S.

Portions: 4

INGRÉDIENTS

- 200 ml lait
- 600 ml Beurre de lait
- 1 pc Gousse de vanille
- 2 cuillères à soupe Sucre, d'accord
- 5 Bl Gélatine, blanche

PRÉPARATION

Tout d'abord, faites tremper la gélatine dans un bol d'eau froide pendant 5 minutes. Coupez la gousse de vanille dans le sens de la longueur avec un couteau bien aiguisé et grattez la pulpe.

Dans une casserole, mettez le lait avec le sucre, ajoutez la pulpe de vanille et la gousse de vanille et portez à ébullition.

À ce stade, porter le lait à la vanille à ébullition pendant 1 minute, puis retirer du feu, retirer la gousse de vanille, presser la gélatine et ajouter feuille par feuille au lait chaud et remuer jusqu'à dissolution.

Ensuite, laissez reposer le mélange de lait pendant environ 10 minutes, puis incorporez le babeurre.

Maintenant, rincez 4 verres à dessert à l'eau froide, versez le mélange de lait et réfrigérez pendant au moins 5 heures.

Servir ensuite la panna cotta avec le lait bien refroidi dans des verres ou à l'envers sur des assiettes de service.

LAIT PANNA COTTA

S.

Portions: 4

INGRÉDIENTS

- 750 mlLait entier
- 1 pc sucre vanillé
- 4 cuillères à soupe du sucre
- 1 TL Agar-agar, en tas
- 1 TL Huile végétale, neutre
- 4 pièces Bols à dessert, 200 ml

PRÉPARATION

Mettez d'abord le lait dans une casserole et ajoutez le sucre et le sucre vanillé. Incorporez ensuite la gélose et portez le lait à ébullition en remuant continu.

Pendentif Porter le lait à ébullition environ 2 minutes, puis baisser la température et laisser mijoter le lait à feu moyen pendant environ 10 minutes. Remuez encore et encore.

Pendant ce temps, badigeonnez légèrement les tasses d'huile végétale. Versez le lait dans les moules et laissez refroidir un peu.

Couvrir ensuite d'un film plastique et laisser refroidir au réfrigérateur pendant au moins 4 heures.

La panna cotta au lait servie dans le bol ou le bol trempe brièvement dans l'eau chaude et le dessert apparaît ensuite dans l'assiette.

PÂTE À SPAETZLE ORIGINALE

S.

Portions: 5

INGRÉDIENTS

- 500 G Farine, blanche, type 405
- 5 pièces Œufs, taille M
- 1,5 TL sel
- 1 prix Sel, pour l'eau de cuisson
- 250 ml Eau chaude

PRÉPARATION

Pour la pâte spaetzle originale, mélanger les ingrédients tels que la farine, les œufs et le sel dans un bol et mélanger. Ajoutez ensuite l'eau progressivement et battez bien avec la cuillère pour pétrir.

La pâte doit pouvoir battre les bulles et pouvoir être tirée avec la cuillère à pétrir. Ajustez la consistance avec de l'eau. Couvrez ensuite le bol et laissez-le reposer brièvement, environ 10 minutes.

Pendant ce temps, portez l'eau salée à ébullition, puis abaissez la pâte en fines portions sur une planche à pâtisserie humide et coupez-la en fines lanières dans l'eau à l'aide d'un grattoir (ou d'un couteau) et laissez reposer.

Les spaetzles finis sortent très rapidement et peuvent être enlevés.

YOGOURT ORANGE ET MENTHE

S.

Portions: 4

INGRÉDIENTS

- 4 au milieu menthe
- 1 pc Orange, mûre, biologique
- 200 G Yaourt nature
- 1 prix du sucre
- 1 prix sel
- 1 prix poivre

PRÉPARATION

Lavez d'abord la menthe fraîche, secouez-la pour qu'elle sèche et hachez-la finement.

Lavez l'orange mûre à l'eau chaude, séchez-la avec du papier absorbant et frottez finement la peau. Ensuite, coupez la pulpe en petits morceaux.

Mélangez ensuite le yaourt avec la menthe, les morceaux d'orange et le zeste d'orange et assaisonnez avec du sel, du poivre et du sucre.

TOMATES RÔTIES

S.

Portions: 4

INGRÉDIENTS

- 4 pièces Tomates de taille moyenne
- 2 TL huile d'olive
- 2 cuillères à soupe Fromage parmesan râpé
- 0,5 Fédération persil
- 8 Bl basilic
- 0,5 TL Origan séché

PRÉPARATION

Préchauffez le quatre à 180 degrés.

Coupez les tomates en deux et placez-les sur une plaque à pâtisserie, côté coupé vers le haut.

Peler et hacher grossièrement les gousses d'ail. Lavez et hachez le persil et le basilic.

Étalez l'ail, le parmesan et les épices sur les tomates, saupoudrez le tout d'huile et faites cuire au four pendant 20 minutes jusqu'à ce qu'ils soient tendres et cuites.

POMMES DE TERRE CUITES FARCIES AU COUSCOUS

Portions: 4

INGRÉDIENTS

- 4 pièces Pommes de terre, grosses, surtout cireuses
- 1 prix sel
- 1 prix poivre
- 1 cuillère à soupe huile d'olive
- 150 G Tomates
- 1 pc concombre
- 0,5 Fédération Oignon de printemps
- 1 cuillère à soupe Jus de citron
- 8 cuillères à soupe Gouda râpé
- 4 cuillères à soupe beurre
- 4 cuillères à soupe Quark, pour la garniture

verser le couscous

- 125 G couscous
- 125 ml l'eau
- 1 coup huile d'olive
- 1 TL sel

PRÉPARATION

Préchauffez le four à env. Chaleur de 175 ° C par le haut et par le bas. Lavez les pommes de terre, séchez-les bien puis, enveloppées dans du papier d'aluminium, faites cuire au four pendant environ 2 heures.

En attendant, porter à ébullition le couscous avec l'eau (ou le bouillon de légumes), le sel et un filet d'huile, retirer la casserole de l'assiette et la laisser couverte pendant environ 5 minutes.

Ensuite, lavez les tomates, le concombre et la ciboule et coupez-les en petits morceaux. Mélangez ensuite les légumes avec le couscous et assaisonnez avec du jus de citron, de l'huile d'olive, du sel et du poivre.

Lorsque les pommes de terre sont complètement cuites, sortez-les du four, deviennent le papier d'aluminium et coupez-les dans le sens de la longueur. Écrasez un peu le contenu des pommes de terre à la fourchette, ajoutez le fromage râpé et le beurre et faites fondre.

Enfin, versez la salade de couscous sur les pommes de terre et garnissez d'une cuillère à soupe de fromage blanc.

POULET CUIT

S.

Portions: 52

INGRÉDIENTS

- 700 G pommes de terre
- 2 pièces Gousses d'ail
- 3 cuillères à soupe huile d'olive
- 1 prix sel
- 1 prix Poivre moulu
- 700 G Filet de poulet
- 150 G Fromage mozzarella

PRÉPARATION

Préchauffez d'abord le quatre à 200 ° C de chaleur supérieure et inférieure / 180 ° C d'air en circulation.

Ensuite, lavez les pommes de terre, épluchez-les et coupez-les en morceaux d'environ 1 centimètre d'épaisseur.

Ensuite, épluchez et hachez finement l'ail et mettez-le dans un bol avec les pommes de terre.

À ce stade, mélangez les pommes de terre avec du sel, du poivre et de l'huile d'olive, mettez-les dans une casserole graissée avec du beurre et faites cuire au four pendant 15 minutes.

En attendant, lavez les filets de poulet et séchez-les avec un peu de papier essuie-tout.

Ensuite, sortez la casserole du four, glissez les pommes de terre sur le bord de la casserole et placez les filets de poulet au centre.

À l'étape suivante, remettez le tout au four pendant 25 minutes.

Enfin, coupez la mozzarella en tranches, placez-la sur le poulet cuit au four et faites cuire encore 2 minutes.

SALADE DE FRUITS AU YAOURT

S.

Portions: 4

INGRÉDIENTS

- 2 pièces Bananes
- 2 pièces Pommes
- 2 pièces Poires
- 2 pièces Des oranges
- 300 GRAMMES Raisins secs, sans pépins
- 200 G Myrtilles
- 4 cuillères à soupe Jus de citron
- 500 G Yaourt nature
- 1 TL mon cheri
- 1 pc sucre vanillé

PRÉPARATION

Lavez d'abord les raisins secs, séchez-les avec du papier absorbant et coupez-les en deux. Rincer brièvement les myrtilles et les éponger. Épluchez les oranges et coupez-les en morceaux.

Ensuite, lavez les pommes et les poires, coupez-les en quartiers, retirez le cœur et coupez les fruits en petits morceaux.

Ensuite, épluchez et coupez les bananes en tranches et placez-les dans un bol avec le reste des fruits. Bien mélanger le tout et saupoudrer de la moitié du jus de citron.

Mélangez le jus de citron restant avec le yaourt, le miel et le sucre vanillé et versez dans quatre bols.

Enfin, répartissez les fruits sur le dessus et servez aussitôt la salade de fruits avec le yaourt.

SALADE DE FRUITS AU GINGEMBRE FRAIS

Portions: 4

INGRÉDIENTS

- 250 G Raisins secs, sans pépins
- 1 pc Melon vert
- 1 pc Citron
- 1 cuillère à soupe Sucre, brun
- 2 cm Gingembre frais
- 2 pièces Orange

PRÉPARATION

Épluchez le melon, retirez les noyaux et coupez la pulpe en cubes. Ensuite, épluchez les oranges, retirez la peau blanche et filets les oranges.

Lavez, sélectionnez et coupez les raisins en deux. Épluchez le gingembre et râpez-le très finement. Coupez le citron en deux et pressez le jus.

Mélangez maintenant le melon, les oranges et les raisins secs dans un bol avec le sucre, le jus de citron et le gingembre.

Ensuite, laissez mariner la salade de fruits avec le gingembre frais au réfrigérateur pendant 30 minutes.

SOUPE TAGLIATELLE DU VIETNAM

S.

Portions: 4

INGRÉDIENTS

- 300 GRAMMES rôti de bœuf
- 3 cuillères à soupe sauce soja
- 2 pièces Gousses d'ail
- 1 Fédération Basilic asiatique
- 500 G Nouilles de riz
- 1 Fédération Coriandre, fraîche
- 5 pièces oignons de printemps
- 2 l soupe de boeuf
- 4 pièces quartiers de citron
- 6 cuillères à soupe Germes de soja

PRÉPARATION

Pour la soupe de nouilles du Vietnam, préparez les nouilles de riz selon les instructions sur l'emballage. Certains ne sont baignés que brièvement avec de l'eau bouillante, doivent être immergés dans de l'eau chaude.

Répartissez ensuite les pâtes sur 4 assiettes peu profondes.

Coupez le rosbif en fines lanières et mélangez-le avec la sauce soja.

Hachez finement le basilic asiatique et la coriandre et placez-les sur la table avec les germes de soja et les quartiers de citron dans les bols.

Lavez et nettoyez les oignons nouveaux, coupez-les en rondelles et mettez-les également dans des bols sur la table.

Étalez les lanières de rosbif sur les nouilles de riz et versez dessus le bouillon de bœuf bouillant.

SALADE DE PÂTES À LA SAUCE AUX HERBES

Portions: 2

INGRÉDIENTS

- 150 G Pâtes au tire-bouchon
- 1 prix Sel, pour cuisiner
- 1 pc Oignon de printemps, avec verdure
- 40 G Viande des Grisons, finement tranchée.

Verser la sauce

- 0,5 pièce gousse d'ail
- 3 cuillères à soupe Cerfeuil, haché finement
- 1 cuillère à soupe Aneth, finement pesé
- 1 cuillère à soupe Rouleaux de ciboulette
- 120 G Crème de lait épaisse, 10% de matière grasse
- 4 cuillères à soupe Kéfir, faible en gras

- 1 TL Molkosan
- 2e prix poivre
- 2e prix sel

PRÉPARATION

Faites d'abord cuire les nouilles dans de l'eau bouillante salée selon les instructions sur l'emballage jusqu'à ce qu'elles soient al dente.

En attendant, lavez et épluchez les oignons nouveaux, coupez les légumes en fines tranches et coupez le tubercule en dés.

Ensuite, coupez la viande Bündner en fines lanières et remplissez un bol avec les oignons.

Versez les pâtes au tamis, rincez, égouttez bien et ajoutez-les aux ingrédients dans le bol.

Épluchez maintenant l'ail, écrasez-le avec une fourchette et mélangez-le avec les herbes dans un second bol avec la crème épaisse. Ajoutez maintenant le kéfir, le molkosan, le poivre et le sel jusqu'à consistance lisse.

Enfin, assaisonnez à nouveau la sauce et ajoutez-la au mélange de pâtes. Laisser tremper la salade de pâtes avec sauce aux herbes pendant environ 15 minutes.

PÂTES AU POIVRE PIMENT ET OIGNONS

Portions: 4

INGRÉDIENTS

- 2 pièces Piments
- 500 G Pâtes
- 5 l Eau salée
- 2 pièces Paprika, rouge
- 1 cuillère à café poivre de Cayenne
- 250 G Tomates en conserve
- 250 G oignon
- 1 Bl persil
- 1 prix sel
- 1 prix Poivre moulu

- 5 cuillères à soupe huile d'olive

PRÉPARATION

Cuire d'abord les pâtes dans une casserole avec de l'eau salée pendant environ 10 minutes jusqu'à ce qu'elles soient al dente.

Pendant ce temps, épluchez les oignons et coupez-les en fines tranches.

Puis laver, sécher, couper en deux, épépiner et trancher les poivrons.

Faites ensuite revenir les poivrons avec les oignons dans une casserole avec de l'huile à feu moyen pendant 4 à 5 minutes.

Ajoutez maintenant les tomates avec du sel, du poivre et du poivre de Cayenne, couvrez et laissez mijoter pendant 20 minutes.

Pendant ce temps, égouttez les pâtes et égouttez-les bien dans une passoire.

Ensuite, lavez, séchez, coupez en deux, évidez et hachez finement les poivrons.

Ensuite, lavez, séchez et hachez finement le persil.

Ensuite, mettez les piments hachés avec les nouilles dans la casserole et mélangez bien le tout.

Répartir enfin les nouilles au piment et l'oignon sur les assiettes, garnir de persil et servir.

NIGIRI SUSHI

S.

Portions: 4

INGRÉDIENTS

- 1 tasseRiz pour sushi
- 1,5 tasse l'eau
- 300 GRAMMES Filet de saumon
- 5 cuillères à soupe Vinaigre de riz
- 1 cuillère à soupe du sucre
- 0,5 cuillère à soupe de sel

PRÉPARATION

Tout d'abord, le riz à sushi classique est préparé. Pour ce faire, passez le riz au tamis jusqu'à ce que l'eau ne soit plus trouble.

Ensuite, mettez le riz à sushi avec l'eau dans une casserole et laissez-le tremper pendant environ 10 minutes.

Ensuite, portez la casserole à ébullition, baissez le feu et laissez cuire le riz pendant environ 15-20 minutes avec le couvercle fermé, jusqu'à ce que toute l'eau soit absorbée par le riz. Sont ensuite le riz de la plaque chauffante et laissez-le reposer encore 5 minutes.

Pendant ce temps, dans un petit bol, mélanger le vinaigre de riz avec le sucre et le sel et chauffer au micro-ondes.

Mélangez ensuite bien le vinaigre de riz avec le riz.

Maintenant, rincez le saumon à l'eau froide, séchez-le et coupez-le en env. 3 cm de longueur et 1 cm de largeur.

Enfin, de minces petits pains longs sont formés à partir du riz (de préférence avec les mains mouillées) et chacun avec un morceau de saumon.

SAUCE TOMATE NAPOLITAINE

S.

Portions: 4

INGRÉDIENTS

- 1 kg Tomates
- 1 au milieu basilic
- 1 pc gousse d'ail
- 2 cuillères à soupe huile d'olive
- 1 prix sel
- 1 prix Poivre moulu

PRÉPARATION

Lavez d'abord, séchez et coupez les tomates en gros dés.

Ensuite, mettez l'huile d'olive et les tomates dans une casserole haute et faites chauffer le tout à feu moyen pendant 4 à 5 minutes.

Pendentif ce temps, lavez, séchez et hachez finement le basilic.

Épluchez maintenant l'ail et ajoutez-le à la casserole avec le basilic.

Cuire ensuite les tomates couvertes pendant 20 à 30 minutes à feu vif, en remuant de temps en temps.

Dans l'étape suivante, frottez le mélange à travers un tamis.

Enfin, assaisonnez la sauce tomate napolitaine avec du sel et du poivre au goût et servez.

SALADE DE PALOURDES

S.

Portions: 6

INGRÉDIENTS

- 1 pc Oignon (Moyen
- 1 kg Moules, très fraîches
- 2 pièces Gousses d'ail
- 2 cuillères à soupe huile d'olive
- 250 ml Vin blanc sec
- 2 pièces Tomates bien mûres
- 1 prix sel
- 1 prix Poivre moulu

Pour la crème d'avocat

- 2 pièces Avocat mûr
- 2 cuillères à soupe Jus de citron

- 1 prix sel
- 1 prix Poivre moulu
- 1 pc gousse d'ail
- 1 cuillère à soupe huile d'olive

PRÉPARATION

Coupez d'abord la moustache (le cas échéant) des moules. Ensuite, remplissez un évier d'eau froide et rincez et nettoyez soigneusement les moules, en changeant l'eau 1 à 2 fois. Les moules sont nettoyées lorsque plus de sable ne se dépose au fond de la piscine. Réparez les moules ouvertes!

Ensuite, épluchez l'oignon et l'ail et hachez-les très finement. Blanchir les tomates dans l'eau bouillante pendant 2 minutes, rincer à l'eau froide et décoller la peau. Ensuite, coupez les tomates en deux, retirez les graines avec une cuillère et coupez la pulpe en petits morceaux.

Pour la crème d'avocat, coupez les avocats en deux, retirez le noyau et retirez la pulpe avec une cuillère. Épluchez et hachez grossièrement l'ail.

Mettez ensuite la moitié de la pulpe avec le jus de citron, l'ail et l'huile d'olive dans un bol et fouettez avec un bâton de coupe.

Hachez finement l'avocat restant, incorporez-le, mettez le noyau d'avocat dans la crème et assaisonnez la crème avec du sel et du poivre.

À ce stade, faites chauffer l'huile d'olive dans une grande casserole, ajoutez les oignons et l'ail et faites revenir environ 5 minutes à feu moyen.

Mettez ensuite les moules dans la casserole, versez le vin et faites cuire à couvert pendant environ 10 minutes.

Enfin, retirez les moules de la casserole avec une cuillère à pantalon, jetez les moules non ouvertes, retirez les moules restantes de la coquille, mettez-les dans un plat allant au four et saupoudrez de bouillon de cuisson.

Versez les cubes de tomates sur les moules, assaisonnez de sel et de poivre et servez la salade de moules avec la sauce à l'avocat et le pain blanc frais.

MOULES AU FOYER

S.

Portions: 4

INGRÉDIENTS

- 1 kg Moules, fraîches
- 1 pc oignon
- 1 pc Céleri-rave
- 100 GRAMMES Champignons
- 90 ml vin blanc
- 1 Fédération persil
- 2 cuillères à soupe beurre
- 1 prix sel
- 1 prix Poivre moulu

PRÉPARATION

Nettoyez d'abord les moules sous l'eau courante froide avec une brosse, comportent les moules ouvertes et retirez la moustache.

Épluchez maintenant l'oignon et coupez-le en petits cubes. Nettoyez les champignons et coupez-les également en cubes.

Ensuite, épluchez le céleri, épluchez les fils avec un couteau et coupez le céleri en petits morceaux.

Faites fondre le beurre dans une casserole et faites dorer légèrement les morceaux d'oignon, les champignons et le céleri pendant 4 à 5 minutes à feu moyen.

Ajouter ensuite les moules, arroser de vin et cuire à feu moyen pendant environ 5 minutes jusqu'à ce que les coquilles de moules s'ouvrent - séparer les moules non ouvertes.

En attendant, lavez le persil, secouez-le pour le sécher, hachez-le finement et ajoutez du sel et du poivre dans la casserole.

SOUPE AUX CAROTTES MORO

S.

Portions: 2

INGRÉDIENTS

- 500 G Carottes
- l'eau
- 1 TL Sel (3 g)

PRÉPARATION

Pour la soupe de carottes Morosche, cuire les carottes nettoyées et pelées à feu moyen pendant au moins 2 heures.

Puis fouettez finement les carottes avec une baguette magique.

Ensuite, ajoutez à nouveau le liquide bouilli à 1 litre avec de l'eau bouillie.

Enfin ajouter le sel, remuer, c'est fait.

SALADE DE CAROTTES

S.

Portions: 2

INGRÉDIENTS

- 6 morceaux Carottes, super
- 2 pièces Oranges, super
- 2 cuillères à soupe L'huile de germe de blé

PRÉPARATION

Lavez d'abord les carottes, retirez la tige et râpez finement avec une râpe de cuisine.

Ensuite, coupez les oranges en deux, pressez-les avec un presse-agrumes et mettez le jus avec les carottes dans un bol.

Versez sur l'huile de germe de blé, mélangez bien le tout et la salade de carottes est prête.

Ragoût de carottes au gingembre

Portions: 4

INGRÉDIENTS

- Bouillon de poulet, fort
- 1 pc poivron rouge
- 45 G Gingembre frais
- 3 pièces Gousses d'ail
- 4 pièces Oignons rouges
- 500 ml Jus de carotte
- 6 cuillères à soupe Sauce soja salée
- 2 cuillères à soupe Jus de citron vert

verser le dépôt

- 300 GRAMMES Filets de poitrine de poulet sans peau
- 125 G Nouilles de riz plat (boutique asiatique)
- 450 G Carottes, épaisses

pour la garniture

- 2 cuillères à soupe   Feuilles de basilic finement hachées
- 2 cuillères à soupe   huile de sésame

PRÉPARATION

Porter d'abord le bouillon de poulet à ébullition dans une casserole, mettre les filets de poitrine de poulet, baisser la température et cuire la viande couverte à feu doux pendant environ 10 à 12 minutes. Ensuite, retirez-le du bouillon et laissez-le refroidir.

Pendentif ce temps, trempez les nouilles de riz assiettes dans de l'eau pendentif tiède 5 minutes.

Ensuite, portez beaucoup d'eau à ébullition dans une casserole et faites cuire les nouilles de riz à feu moyen pendant environ 1 à 2 minutes. Ensuite, égouttez les pâtes, rincez-les immédiatement à l'eau froide et égouttez-les.

Ensuite, épluchez les carottes et le gingembre. Coupez les carottes dans le sens de la longueur d'abord en fines tranches, puis en fines lanières. Coupez le gingembre en tranches fines. Coupez le piment dans le sens de la longueur, épépinez-le puis coupez-le en fines lanières.

Épluchez les oignons et l'ail, coupez-les en fines tranches, combinez-les avec le bouillon de poulet au gingembre et au piment, ajoutez le jus de carotte et la sauce soja et laissez mijoter doucement la soupe pendant environ 15 minutes à feu moyen.

Ajouter ensuite les lanières de carottes, cuire environ 2 minutes et assaisonner avec le jus de citron vert.

Enfin, coupez le poulet en fines tranches et ajoutez-le à la soupe avec les nouilles.

Avant de servir, saupoudrez le ragoût de carottes de gingembre et de basilic, arrosez d'huile de sésame et servez chaud.

SOUPE CAROTTE ET TURMÈRE

S.

Portions: 4

INGRÉDIENTS

- 1 pc oignon
- 1 pc gousse d'ail
- 300 GRAMMES Carottes
- 4 cuillères à soupe huile d'olive
- 1 TL Poudre de curcuma
- 1 prix sel
- 500 ml l'eau

PRÉPARATION

Tout d'abord, épluchez et hachez finement l'oignon et l'ail. Épluchez les carottes et coupez-les en tranches.

À ce stade, faites chauffer l'huile dans une casserole et faites dorer brièvement l'oignon et l'ail haché. Ajoutez ensuite les carottes et le curcuma et versez l'eau dessus.

Saler la soupe, porter à ébullition et laisser mijoter environ 15 minutes.

Enfin, mixez finement la soupe.

SOUPE AUX CAROTTES

Portions: 4

INGRÉDIENTS

- 400 G Carottes
- 1 pc oignon
- 850 ml Bouillon de légumes
- 1 TL Curry en poudre (épicé)

PRÉPARATION

Épluchez et coupez au préalable l'oignon et la carotte en dés.

Portez ensuite les légumes à ébullition avec le bouillon dans une casserole et laissez mijoter à couvert à feu moyen pendant environ 15 minutes.

Lorsque les légumes sont cuits, mélanger la soupe au batteur à main, incorporer le curry en poudre et ramener brièvement à ébullition.

CRÈME DE CAROTTE AU

S.

Portions: 4

INGRÉDIENTS

- 1 TL curry
- 2 cuillères à soupe Jus de citron
- 200 G Carottes
- 250 G Quark
- 4 cm Gingembre frais
- 150 G Yaourt nature
- 1 prix sel

PRÉPARATION

Épluchez les carottes et le gingembre, râpez-les finement dans un bol et saupoudrez de jus de citron.

Maintenant, mélangez le fromage blanc avec le yogourt dans un bol jusqu'à consistance lisse. Incorporer le gingembre aux carottes et assaisonner la carotte enduite de gingembre avec du sel et du curry.

SOUPE DE LÉGUMES AVEC PÂTES

S.

Portions: 4

INGRÉDIENTS

- 150 G haricots blancs
- 1 pc feuille de laurier
- 1 Fédération persil
- 0,5 Fédération thym
- 1 au milieu Romarin
- 200 G Cosses de petits pois
- 2 pièces courgette
- 2 pièces Carottes
- 200 noeuds céleri
- 1 pc paprika
- 1 TL sel
- 0,5 TL poivre

- 2 Stg Poireau
- 2 pièces Gousses d'ail
- 40 G Ditalini, ou nouilles tubulaires courtois
- 1 cuillère à soupe huile d'olive
- 1 TL Fromage parmesan râpé

PRÉPARATION

Faites tremper les haricots blancs dans l'eau froide la veille et laissez-les reposer toute la nuit.

Pour le minestrone, porter à ébullition une grande casserole avec environ 1,5 litre d'eau. Rincer les haricots blancs trempés, les ajouter à la casserole et cuire doucement à feu doux pendant 30 à 35 minutes.

Pendant ce temps, lavez la feuille de laurier, le romarin, le persil et le thym, secouez, nouez avec de la ficelle de cuisine et ajoutez-les aux haricots.

Épluchez ensuite les courgettes, les carottes et le céleri et coupez-les en cubes. Nettoyez le poireau et coupez-le en fines tranches. Hachez l'ail pelé. Coupez les poivrons en deux, épépinez-les, lavez-les et coupez-les également en cubes. Coupez les cosses de pois lavées en petits morceaux.

Ajouter les légumes préparés aux haricots dans la casserole, assaisonner de sel et de poivre et cuire 20 minutes à température moyenne.

Ensuite, retirez les herbes liées de la soupe, ajoutez les nouilles et faites cuire encore 8 minutes - jusqu'à ce que les nouilles soient fermes sous la dent.

Enfin, assaisonnez le minestrone de sel et de poivre, arrosez d'huile d'olive et saupoudrez de parmesan râpé.

MINESTRONE AUX HARICOTS

Portions: 4

INGRÉDIENTS

- 150 G Haricots secs, mélangés (voir recette)
- 100 GRAMMES Bacon, poitrine de porc italienne
- 4 cuillères à soupe huile d'olive
- 1 Stg Poireau
- 250 G Savoie
- 1 pc Paprika, jaune
- 2 pièces Courgettes, petites
- 1 boîte Tomates hachées, à 800 g
- 750 ml Bouillon de légumes, chaud
- 1 prix sel
- 1 prix Poivre, noir, fraîchement moulu
- 75 G Parmesan, grossier, fraîchement râpé

PRÉPARATION

Remarque: Les haricots (mélange de haricots rouges, haricots noirs et blancs) sont trempés pendant au moins 12 heures.

La veille, mettez les haricots dans un bol, couvrez-les d'eau froide et laissez-les tremper pendant au moins 12 heures, encore mieux pendant la nuit.

Le lendemain, égouttez l'eau de trempage et faites cuire les haricots dans l'eau douce non salée à feu doux pendant environ 1 1/4 heure. Versez ensuite dans une passoire et égouttez.

Pendant ce temps, nettoyez et lavez les poireaux et le chou. Coupez le poireau en rondelles et le chou en lanières. Épluchez, lavez et coupez les poivrons en cubes. Nettoyez, lavez et coupez les courgettes en tranches.

Ensuite, coupez le bacon en cubes. Chauffer l'huile d'olive dans une grande casserole et faire revenir les cubes de bacon pendant environ 3-4 minutes jusqu'à ce qu'ils soient croustillants, puis égoutter sur du papier absorbant.

Faites maintenant frire les légumes préparés dans la graisse de bacon pendant 3-4 minutes. Ajouter les tomates en conserve, verser le bouillon et couvrir de tous les ingrédients et cuire à feu moyen pendant environ 15 minutes.

Ajouter enfin les haricots cuits aux légumes, pendentif incorporer et chauffer 5 minutes. Le minestrone aux haricots avec du sel et du poivre et versez-le dans les assiettes creuses. Saupoudrer de parmesan râpé grossièrement et servir immédiatement.

PUDDING AU RIZ AU LAIT DE RIZ

Portions: 2

INGRÉDIENTS

- 250 G Riz au lait
- 1.2 Lait de riz
- 1 prix cannelle
- 1 prix cardamome
- 3 cuillères à soupe Sucre, blanc
- 1 pc Gousse de vanille
- 2 cuillères à soupe Sucre à la cannelle

PRÉPARATION

Mettez d'abord le lait de riz dans une casserole et ajoutez le riz au lait. Ajoutez également la cannelle, la cardamome et le sucre au lait.

Ensuite, coupez la gousse de vanille et grattez la pulpe. Ajouter la pulpe et la gousse au lait de riz, chauffer le tout et porter à ébullition pendentif 1 minute.

Après ébullition, baisser la température et laisser mijoter le riz au lait avec le lait de riz pendant environ 25-30 minutes.

Enfin, sortez la gousse de vanille et versez le riz au lait dans les bols. Saupoudrez de sucre à la cannelle et dégustez.

PUDDING AU RIZ VAPEUR

Portions: 4

INGRÉDIENTS

- lait
- 400 G Riz au lait, riz à grains courts
- 1 TL Sucre vanillé
- 4 cuillères à soupe du sucre

pour la garniture

- 1 prix Poudre de cannelle
- 1 prix du sucre

PRÉPARATION

Au riz au lait dans le cuiseur à vapeur farcir le riz, le sucre et le sucre vanillé dans un pari sans pantalon pour le quatre à vapeur et ceux-ci se mélangent bien.

Ajoutez maintenant le lait et mélangez à nouveau.

Ensuite, remplissez le cuiseur vapeur et réglez une température de 100 degrés.

Laisser cuire le riz au lait pendant environ 35 à 40 minutes pendant l'utilisation.

Servir avec de la cannelle et du sucre.

SALADE DE MELON AVEC FETA

Portions: 4

INGRÉDIENTS

- 1 pc Pastèque, taille moyenne (sans pépins ou sans pépins)
- 100 GRAMMES Fromage feta, crémeux
- 0,5 Fédération menthe
- 0,5 Fédération basilic
- 1 pc chaux
- 2 cuillères à soupe sirop d'érable
- 1 prix sel
- 1 prix Poivre, noir, fraîchement moulu
- 2 cuillères à soupe huile d'olive

PRÉPARATION

Coupez d'abord la pastèque en deux et coupez-la en tranches épaisses. Mettez les pierres qui peuvent encore être présentes, retirez la pulpe de la peau avec un couteau et coupez-la en cubes de la taille d'une bouchée.

Lavez ensuite la menthe et le basilic, secouez pour sécher, cueillez les feuilles et hachez-les finement.

Ensuite, coupez le citron vert en deux et pressez-le. Mélangez le jus avec le sirop d'érable, l'huile, le sel et le poivre.

Jouez les morceaux de melon dans un bol, mélangez l'assaisonnement et les herbes. Émiettez grossièrement le fromage feta et ajoutez-le à la salade.

Mélangez à nouveau la salade de melon avec la feta et mettez 15 minutes au réfrigérateur. Servir immédiatement après.

SALADE DE CHEVAL

Portions: 4

INGRÉDIENTS

- 250 G Raifort
- 1 pc pomme
- 1 coup Jus de citron

pour l'assaisonnement

- 5 cuillères à soupe Crème aigre
- 1 prix sel
- 1 prix du sucre

PRÉPARATION

Pour cette simple salade de raifort, épluchez d'abord le raifort et râpez-le finement dans un bol.

Épluchez et râpez également les pommes et saupoudrez d'un peu de jus de citron.

Mélangez ensuite la pomme et la crème avec le raifort, puis assaisonnez avec du sel et du sucre.

MUESLI MANGUE COCO

Portions: 4

INGRÉDIENTS

- 70 G Noix de coco séchée
- 100 GRAMMES Les pruneaux
- 130 G Gruau
- 1 pc Mangue
- 200 G Lait caillé
- 130 ml lait
- 4 cuillères à soupe du jus d'orange
- 4 cuillères à soupe Miel, liquide

PRÉPARATION

Faites d'abord rôtir la noix de coco séchée dans une poêle jusqu'à ce qu'elle soit dorée, en remuant continu.

Coupez les prunes en cubes et mélangez-les avec les flocons d'avoine et la noix de coco séchée.

Épluchez la mangue, coupez la pulpe en quartiers de la pierre et coupez-la en cubes.

Mettez le caillé dans un bol ou un shaker et mélangez avec le lait, le jus d'orange et le miel.

Répartir la moitié du mélange d'avoine dans des bols, étendre les morceaux de mangue sur le dessus, verser sur le caillé et servir saupoudré du reste du mélange d'avoine.

MAKI SUSHI

Portions: 4

INGRÉDIENTS

- 1 tasseriz
- 2 tasses l'eau
- 4 pièces Feuilles de Nori
- 2 pièces Carottes
- 1 pc avocat

PRÉPARATION

Lavez le riz jusqu'à ce qu'il ne reste plus que de l'eau propre. Ensuite, faites bouillir le double de la quantité d'eau. Laisser refroidir le riz en remuant.

Ajoutez une feuille de nori sur la natte de bambou et étalez une fine couche de riz dessus. Laissez une bande étroite libre.

Épluchez la carotte et l'avocat et coupez-les en fines lanières. Prix une bande au centre du riz et roulez-la bien.

Coupez le rouleau en environ 5 morceaux égaux. Répétez le processus avec les ingrédients restants et réfrigérez jusqu'au moment de servir.

SAUCE AU MAÏS

Portions: 4

INGRÉDIENTS

- 300 GRAMMES Maïs, en conserve
- 250 ml Bouillon de légumes
- 150 ml Crème fouettée
- 1 pc oignon
- 1 pc gousse d'ail
- 50 GRAMMES beurre
- 2 cuillères à soupe Jus de citron
- 1 Fédération persil
- 1 prix sel
- 1 prix Poivre moulu
- 1 coup De l'huile, pour le pot

PRÉPARATION

Épluchez d'abord l'oignon et l'ail, hachez-les finement et faites-les frire dans une casserole avec de l'huile pendant 3-4 minutes à feu moyen.

Ajoutez ensuite 2/3 des grains de maïs avec le bouillon de légumes et laissez mijoter 10 minutes.

Ajouter ensuite la crème, le sel, le poivre et le jus de citron dans la casserole, bien mélanger et laisser mijoter encore 15 minutes.

Pendentif ce temps, lavez, séchez et hachez finement le persil.

Ensuite, laissez refroidir la sauce pendant 5 minutes et mixez finement avec un mixeur plongeant.

Enfin, mélanger les grains de maïs restants dans la sauce de maïs et garnir de persil.

CRÈME DE SOUPE DE MAÏS AUX POMMES DE TERRE

Portions: 4

INGRÉDIENTS

- 2 bidons Maïs, á 425 g
- 2 pièces Oignons de légumes
- 300 GRAMMES Pommes de terre, cuisson farineuse
- 4 cuillères à soupe L'huile de colza
- 1,2 lait
- 1 pc feuille de laurier
- 1 TL sel
- 0,5 TL Flocons de piment
- 1 prix Poivre, noir, fraîchement moulu

- 3 cuillères à soupe Jus de citron vert

PRÉPARATION

Tout d'abord, épluchez l'oignon et coupez-le en dés. Épluchez, lavez et hachez grossièrement les pommes de terre. Ensuite, égouttez et égouttez le maïs et reposez 2 cuillères à soupe de grains de maïs.

Chauffer ensuite la moitié de l'huile dans une casserole, faire revenir la moitié de l'oignon coupé en dés et les pommes de terre en dés pendant environ 5 minutes en remuant.

Ajoutez maintenant le maïs restant, mettez la feuille de laurier et versez le lait. Laisser tout mijoter à feu moyen et à découvert pendant environ 10 minutes.

Chauffer l'huile restante dans un poêle et faire revenir les cubes d'oignon restants pendant environ 5 minutes jusqu'à ce qu'ils soient dorés. Saupoudrer de poudre de chili et réserver.

Ensuite, retirez la casserole du feu, retirez la feuille de laurier et mixez la soupe avec un bâton de coupe. Assaisonnez le salé avec du sel, du poivre et du jus de citron vert.

Disposer la crème de maïs chaude avec les pommes de terre dans les assiettes creuses chauffées, saupoudrer du maïs et des oignons restants et servir immédiatement.

Tarte à l'oignon à faible teneur en

Portions: 2

INGRÉDIENTS

- 4 pièces Feuilles de pâte phyllo, pour étagère réfrigérée
- 400 G Oignons
- 60 G Bacon, mélangé, tranché finement
- 200 G flocons de lait
- 60 G Crème sure ou crème fraîche
- 1 pc Oeuf, taille L
- 2 cuillères à soupe Persil haché
- 0,5 TL sel
- 1 prix Poivre, noir, moulu
- 1 cuillère à soupe Huile végétale, pour la poêle

PRÉPARATION

Préchauffez d'abord le four à 165 ° C de chaleur haut / bas.

Tapisser ensuite une casserole avec la pâte filo et réserver.

Ensuite, épluchez les oignons et coupez-les en très petits cubes. Coupez d'abord les tranches de bacon en lanières, puis en très petits cubes.

Maintenant, mettez l'huile dans une grande poêle et faites-la chauffer. Ajouter le bacon coupé en dés et l'oignon, faire sauter environ 5 à 6 minutes à feu moyen, puis retirer du feu et laisser refroidir.

Pendant ce temps, mélangez la ricotta, la crème sure et l'œuf dans un bol. Assaisonner de sel et de poivre et incorporer le persil haché.

Ajoutez enfin le bacon et les oignons au mélange de crème sure, mélangez bien le tout et versez dans le plat préparé.

Cuire la tarte à l'oignon faible en glucides sur la grille centrale dans le quatre préchauffé pendant environ 40 à 45 minutes jusqu'à ce qu'elle soit jaune d'or. Sortez ensuite du four, laissez refroidir légèrement et servez

SOUPE AUX LENTILLES AU TOFU

Portions: 2

INGRÉDIENTS

- 2 pièces Tomates à cocktail
- 0,5 pièce oignon
- 1 pc gousse d'ail
- 1 cuillère à soupe beurre
- 1,5 TL Gingembre râpé
- 450 ml Bouillon de légumes
- 120 G Lentilles, rouges
- 1,5 TL Pâte de curry, rouge
- 200 G Tofu
- 1,5 cuillère à soupe de lait de coco
- 1 prix poivre
- 1 prix sel

- 1 prix poudre de curry
- 1 prix thym
- 1 prix graines de cumin

PRÉPARATION

Épluchez et hachez l'oignon et l'ail. Faites chauffer le beurre dans une casserole et faites-y revenir l'oignon et l'ail.

Lavez les tomates, coupez-les en quartiers, retirez les graines et coupez la pulpe en morceaux. Incorporer ensuite le gingembre et les tomates au mélange d'oignon et d'ail et cuire brièvement.

Versez ensuite sur le bouillon de légumes et ajoutez les lentilles rouges. Assaisonner la soupe avec du poivre, du sel, du curry, de la pâte de curry rouge, une pincée de graines de cumin et du thym. Faites maintenant bouillir doucement la soupe aux lentilles pendant environ 15 minutes.

Coupez le tofu en morceaux de taille égale au goût.

Enfin, ajoutez le lait de coco à la soupe et ajoutez le tofu.

SOUPE AUX LENTILLES AU FROMAGE AU HERDER

Portions: 4

INGRÉDIENTS

- 100 GRAMMES lentilles de contact
- 650 ml Bouillon de légumes
- 2 TL poudre de curry
- 2 Stg Céleri
- 1 prix sel
- 1 prix Poivre moulu
- 150 G Fromage de berger ou ricotta
- 1 cuillère à soupe huile

PRÉPARATION

Dans une casserole, mettez d'abord les lentilles, le bouillon de légumes et le curry en poudre, portez à ébullition et laissez mijoter environ 10 minutes à feu moyen.

Pendant ce temps, lavez et séchez le céleri, retirez les légumes et séjour. Coupez le céleri en fines tranches ou en petits cubes, ajoutez-le à la casserole, ajoutez-le aux lentilles et laissez cuire 5 à 10 minutes.

Ensuite, retirez la casserole de l'assiette, hachez le fromage de berger, ajoutez-le à la soupe, assaisonnez de sel et de poivre et mélangez bien.

Enfin, garnissez la soupe aux lentilles de feuilles de céleri et servez.

CONDIMENT AVEC YOGOURT À LA LIME

Portions: 1

INGRÉDIENTS

- 150 G Yaourt
- 1 prix sel
- 1 prix poivre
- 2 cuillères à soupe Herbes, mélangées
- 1 cuillère à soupe Jus de citron vert

PRÉPARATION

Lavez bien les herbes aromatiques, séchez-les et hachez-les finement. Mélangez ensuite les herbes, le jus de citron vert, le yaourt, le sel et le poivre dans un bocal à vis. Conserver hermétiquement fermé au réfrigérateur.

SOUPE À LA CITROUILLE VEGAN

Portions: 4

INGRÉDIENTS

- 1 pc Citrouille d'Hokkaido
- 500 ml l'eau
- 1 boîte Lait de coco, réduit en matières graminées
- 1 pc gousse d'ail
- 1 pc Gingembre, de la taille d'un pouce
- 1 cuillère à soupe Jus de citron, de la bouteille
- 0,5 Fédération persil
- 0,5 TL Curcuma
- 1 TL Cannelle de Ceylan
- 1 prix sel et poivre

- 1 Spr huile d'olive

PRÉPARATION

Tout d'abord, coupez la citrouille en deux, retirez les graines et coupez-la en cubes d'environ 2 centimètres.

Ensuite, épluchez et hachez finement l'ail et le gingembre. Mettez-les tous les deux dans une grande casserole et faites-les-dorer brièvement à feu moyen avec un filet d'huile - pas trop chaud - pour que les saveurs se développent correctement. Ajoutez ensuite les morceaux de citrouille et faites sauter pendant un moment.

Ajoutez maintenant la cannelle et le curcuma, mélangez bien le contenu du pot puis ajoutez l'eau.

Maintenant, laissez la soupe cuire à un niveau plus élevé pendant environ 25-30 minutes. Une fois que la courge est tendre, le mixeur plongeant ou le presse-purée peut faire son travail jusqu'à ce que la soupe devienne crémeuse. Selon la consistance, de l'eau peut être ajoutée.

Enfin, hachez finement le persil, ajoutez-le et laissez mijoter brièvement. Ajoutez maintenant le lait de coco et le jus de citron. Puis mélanger et assaisonner avec du sel et du poivre. La soupe légère à la citrouille végétalienne est prête.

SAUCE DE POIRE À LA VIANDE HACHÉE

Portions: 4

INGRÉDIENTS

- 800 G Pommes de terre, cireuses
- 300 GRAMMES Poireau
- 3 cuillères à soupe huile d'olive
- 1 pc oignon
- 1 pc gousse d'ail
- 250 G Le bœuf haché
- 1 cuillère à soupe Feuilles de thym, fraîches
- 200 ml Soupe à la viande
- 1 prix sel
- 1 prix Poivre, noir, fraîchement moulu

- 1 cuillère à soupe beurre
- 1 prix Sel, pour la viande hachée
- 1 prix Poivre noir pour viande hachée

PRÉPARATION

Préparez d'abord les légumes. Pour ce faire, épluchez le poireau, lavez-le bien puis coupez-le en diagonale en fines tranches.

Épluchez et lavez les pommes de terre, coupez-les également en fines tranches et mettez-les dans un bol avec de l'eau froide. Épluchez et hachez finement l'oignon et l'ail.

Faites ensuite chauffer l'huile dans une poêle et faites revenir la viande hachée environ 6 minutes en remuant. Ajouter l'oignon coupé en dés et l'ail et faire sauter encore 5 minutes.

Mettez maintenant les tranches de poireaux dans la poêle, mélangez avec le hachis et laissez cuire encore 5 minutes. Assaisonner le hachis avec du sel et du poivre et incorporer le thym.

Préchauffer le four à 180 ° C (four à convection 160 ° C) et graisser un plat de cuisson avec du beurre.

Retirer les tranches de pommes de terre de l'eau, les assécher puis les placer en alternance avec le mélange de poireaux dans le moule. Assaisonnez chaque couche de sel et de poivre et terminez par une couche de quartiers de pommes de terre.

Ensuite, versez le bouillon sur la cocotte de poireaux avec de la viande hachée, étalez les flocons de beurre sur le dessus et recouvrez une feuille de papier sulfurisé.

Faites glisser le moule sur le guide central dans le four préchauffé et faites cuire au four pendant 30 minutes. Ensuite, le papier sulfurisé et faites cuire encore 30 minutes. Remettez la cocotte finie du four et servez sous la forme.

MÉDAILLONS D'AGNEAU

Portions: 4

INGRÉDIENTS

- 2 pièces Gousses d'ail
- 800 G Selle de filet d'agneau
- 0,5 TL Aiguilles de romarin
- 1 prix sel
- 1 prix Poudre de paprika, noble sucré
- 2 cuillères à soupe huile d'olive
- 1 prix Poivre du moulin

pour le pain à l'ail blanc

- 8 Schb Pain blanc (au goût)
- 2 pièces Gousses d'ail
- 2 cuillères à soupe L'huile d'olive, pour la poêle

PRÉPARATION

Épluchez d'abord les gousses d'ail et pressez-les avec un presse-ail. Coupez ensuite la viande, débarrassée de la peau et des tendons, à env. 8 tranches de 2 cm d'épaisseur chacune. Ensuite, aplatissez légèrement la viande et frottez-la avec du sel, du poivre, de la poudre de paprika et de l'ail.

Pour le pain à l'ail blanc, épluchez les gousses d'ail restantes et pressez-les avec un presse-ail. Faites ensuite chauffer l'huile d'olive dans un poêle, faites revenir l'ail puis faites revenir les tranches de pain dans l'huile d'olive jusqu'à ce qu'elles soient dorées des deux côtés - gardez-les au chaud sur une assiette ou au four.

Faites maintenant chauffer l'huile d'olive restante dans la poêle, faites frire les médaillons d'agneau vigoureusement (environ 3-4 minutes de chaque côté en les retournant une seule fois) et saupoudrez de romarin.

FILET DE SAUMON SUR RISOTTO

S.

Portions: 4

INGRÉDIENTS

- 2 cuillères à soupe Huile végétale
- 1 pc Citron bio
- 450 G tomates cerises
- 800 G Filet de saumon, sans peau
- 1 prix sel
- 1 prix poivre
- verser le risotto
- 2 pièces Oignons, petits
- 150 G Riz pour risotto
- 500 ml Bouillon de légumes
- 100 ml Vin blanc sec
- 1 pc Courgettes, de taille moyenne

- 120 G Olives, noires, évidées
- 3 cuillères à soupe   Huile végétale
- 1 prix poivre
- 1 prix sel

PRÉPARATION

Pour le risotto, épluchez d'abord les oignons et coupez-les en dés. Faites chauffer deux cuillères à soupe d'huile dans une casserole, faites dorer l'oignon coupé en dés, ajoutez le riz et faites-le revenir.

Versez graduellement le bouillon et le vin en remuant souvent. Dès que le riz est sec, ajoutez toujours un peu de liquide et laissez cuire 30 à 35 minutes au total.

En attendant, lavez et épluchez les courgettes, épluchez-les si nécessaire, coupez-les en cubes et faites-les dorer dans une casserole avec une cuillère à soupe d'huile chaude. Ensuite, mettez de côté.

Maintenant, lavez le citron vigoureusement, séchez-le avec du papier absorbant et coupez quatre tranches fines. Il suffit de laver et de sécher les tomates cerises.

Versez le filet de saumon sur risotto, couper le saumon en 4 lanières, puis assaisonner de sel et de poivre.

À ce stade, faites chauffer l'huile dans une poêle, recouvrez chacun des lanières de saumon d'un quartier de citron et faites-les frire dans l'huile bouillante pendant environ 5 minutes, en les retournant une fois, ajoutez les tomates et faites-les revenir.

Ajouter enfin le mélange de courgettes au risotto fini, assaisonner de sel et de poivre. Servir avec les lanières de saumon et les tomates.

SAUMON AUX HARICOTS

Portions: 4

INGRÉDIENTS

- 600 G haricots verts
- 4 pièces Filet de saumon, 200 grammes chacun
- 2e prix sel
- 1 prix Poivre, fraîchement moulu

PRÉPARATION

Arrosez d'abord le Römertopf, c'est-à-dire faites-le tremper dans l'eau pendant au moins 10 minutes, cela remplira les pores de l'argile et de la vapeur sera émis pendant la cuisson.

Nettoyez les haricots verts, lavez-les à l'eau froide et égouttez-les bien. Ensuite, mettez le Römertopf et ajoutez un peu de sel.

Maintenant, mettez la casserole dans le four froid et précuire pendant 30 minutes à 180 degrés.

Pendant ce temps, rincez le saumon à l'eau froide, séchez-le avec du papier absorbant et assaisonnez de sel et de poivre.

Au bout de 30 minutes, déposez le saumon sur les haricots verts, refermez le couvercle et faites cuire à la vapeur pendant 10 minutes.

Ensuite, retirez le couvercle et faites cuire le saumon avec les haricots verts pendant encore 10 minutes.

SAUMON VAPEUR

Portions: 4

INGRÉDIENTS

- 4 pièces Filets de saumon, saumon sauvage
- 1 coup Jus de citron
- 1 kg brocoli
- 8 pièces Pommes de terre, cireuses, de taille moyenne
- 50 GRAMMES Flocons d'amande
- 1 TL Persil haché
- 1 cuillère à soupe Beurre ou huile
- 1 prix sel

Verser la sauce

- 200 ml Crème fouettée

- 2 TL beurre
- 2 TL Farine
- 150 ml Bouillon de légumes
- 1 prix sel
- 1 prix poivre
- 1 TL Ciboulette, coupée en fines tranches

PRÉPARATION

Pour le saumon cuit à la vapeur, remplissez d'abord le cuiseur vapeur d'eau ou de bouillon selon les instructions d'utilisation et graissez l'insert avec un peu de beurre ou d'huile.

Épluchez et lavez les pommes de terre et coupez-les en quatre dans le sens de la longueur.

Lavez et nettoyez les brocolis et coupez-les en fleurettes.

Assaisonner les filets de saumon avec du sel et assaisonner avec du jus de citron.

Réglez maintenant la vapeur à 90 degrés et mettez d'abord les pommes de terre dans la vapeur. Après 20 minutes, ajoutez le brocoli et le saumon et laissez cuire 10 minutes.

Faites une sauce roux. Pour ce faire, faites fondre le beurre, saupoudrez la farine et faites suer en remuant continu.

Incorporer ensuite le bouillon de légumes par petites portions, en remuant constant, et porter à ébullition. Ajouter enfin la crème et assaisonner avec du sel, du poivre et de la ciboulette.

Pendant ce temps, faites griller les amandes sans gras dans une poêle enrobée en les retournant encore et encore.

Enfin, disposent tous les ingrédients sur les assiettes, servez le brocoli avec les amandes effilées et les pommes de terre saupoudrées de persil haché.

SOUPE À LA CITROUILLE AU MARJORAM

Portions: 4

INGRÉDIENTS

- 1 kg Citrouille (p. Ex. Courge musquée, courge musquée)
- 100 ml Crème aigre
- 40 G Beurre pour le pot
- 1 cuillère à soupe Jus de citron
- 600 ml Bouillon de légumes
- 1 Fédération Marjolaine
- 1 TL sel
- 1 prix poivre
- 1 cuillère à café Safran

- 1 coup Huile de pépins de courge

PRÉPARATION

Pour cette crème de potiron très fine, coupez la citrouille en quartiers, épluchez-la, épépinez-la et coupez la pulpe en cubes.

Ensuite, faites fondre le beurre dans la casserole et faites mijoter les cubes de citrouille - laissez mijoter environ 5 minutes à feu doux.

Maintenant, versez le jus de citron et le bouillon de légumes dans la casserole et laissez mijoter pendant environ 15-20 minutes jusqu'à ce que les morceaux de citrouille soient tendres.

En attendant, lavez la marjolaine, secouez-la pour la sécher, brossez les feuilles et hachez-la finement. Nettoyez bien les graines de citrouille, séchez-les avec un chiffon et faites-les frire légèrement dans une poêle (sans huile).

Mélangez ensuite la soupe avec un mélangeur à immersion, assaisonnez de sel et de poivre, ajoutez un peu de safran et incorporez à nouveau les lanières de jambon. En outre, vous pouvez affiner la soupe avec un peu de crème sure.

Mettre la soupe de potiron finie sur les assiettes, saupoudrer de graines de citrouille, saupoudrer de feuilles de marjolaine et garnir de quelques gouttes d'huile de graines de citrouille.

HUMMUS DE POTIRON

S.

Portions: 4

INGRÉDIENTS

- 500 G Citrouille d'Hokkaido
- 1 pc gousse d'ail
- 1 prix sel
- 1 prix poivre
- 1 prix cumin
- 3 cuillères à soupe Tahini
- 100 GRAMMES tomates séchées

PRÉPARATION

Lavez et divisez la citrouille, retirez les graines et coupez-la en petits morceaux. Ajoutez la citrouille hachée sur une plaque à pâtisserie tapissée de papier sulfurisé.

Préchauffer le four à 220 degrés et cuire la courge sur la grille centrale pendant 20 minutes jusqu'à ce qu'elle soit tendre.

Épluchez l'ail et hachez-le grossièrement avec les tomates séchées.

Mettez maintenant la citrouille au four, l'ail, le sel, le poivre, le cumin, le tahini et les tomates hachées dans le robot culinaire et transformez-les en pâte. Alternativement, un mixeur plongeant peut être utilisé pour la purée.

Le Kürbishummus va toujours bien tiré dans une boîte en plastique au réfrigérateur une heure est consommée jusqu'à ce qu'il soit.

CRÈME DE SOUPE À LA CITROUILLE AU LAIT DE COCO

Portions: 6

INGRÉDIENTS

- 1 pc Citrouille d'Hokkaido (500 g)
- 100 ml Jus d'orange fraîchement pressé
- 400 ml de bouillon de légumes
- 300 ml Lait de coco
- 1 TL Flocons de piment
- 1 TL Jus de citron vert
- 1 TL poudre de curry
- 1 prix sel
- 1 TL Poivre, noir, fraîchement moulu

pour la garniture

- 1 TL Flocons de piment
- 0,5 Fédération coriandre

PRÉPARATION

Lavez la citrouille, coupez-la en deux et retirez les graines et les fibres. Ensuite, coupez la pulpe de citrouille en petits cubes et mettez-la dans une casserole.

Ajouter le jus d'orange, les flocons de piment, la poudre de curry, le sel et le poivre, remplir avec le bouillon de légumes et porter à ébullition.

Pendentif Porter le tout à ébullition 1 minute, puis couvrir et cuire à feu doux pendant environ 20-25 minutes.

Pendant ce temps, lavez la coriandre, secouez-la pour qu'elle sèche et hachez finement les feuilles.

Maintenant, mélangez finement le contenu du pot avec un bâton de coupe, en ajoutant le lait de coco et le jus de citron vert.

Soupe de potiron au lait de coco bouillir 1 minute de plus, puis verser dans un plat chaud.

Garnir de quelques flocons de piment et de feuilles de coriandre et servir aussitôt.

CONCLUSION

Si vous voulez perdre quelques kilos, le régime pauvre en glucides et en gras atteindra éventuellement vos limites. Bien que le poids puisse être réduit avec des régimes, le succès n'est généralement que de courte durée car les régimes sont trop unilatéraux. Donc, si vous voulez perdre du poids et éviter l'effet yo-yo classique, vous devez vérifier plutôt votre bilan énergétique et recalculer vos besoins caloriques quotidiens.

L'idéal est d'adhérer à une variante douce du régime faible en gras avec 60 à 80 grammes de graisse par jour à vie. Il aide à maintenir le poids et protège contre le diabète et les lipides sanguins élevés avec tous leurs risques pour la santé.

Le régime pauvre en graisses est relativement facile à mettre en œuvre car il suffit de renoncer aux aliments gras ou de limiter sévèrement leur proportion dans la quantité quotidienne de nourriture. Avec le régime pauvre en glucides, cependant, une planification beaucoup plus précise et une plus grande endurance sont nécessaires. Tout ce qui vous remplit vraiment est généralement riche en glucides et doit être évité. Dans certaines circonstances, cela peut entraîner des fringales et donc un échec de l'alimentation. Il est essentiel que vous mangiez correctement. De nombreuses compagnies d'assurance maladie publique proposent donc des cours de prévention ou paient des conseils nutritionnels individuels. Ce conseil est extrêmement important, surtout si vous décidez de suivre un régime amaigrissant où vous souhaitez changer définitivement le régime entier. La prise en charge de ces mesures par votre assurance maladie privée dépend du taux que vous avez souscrit.

Lightning Source UK Ltd.
Milton Keynes UK
UKHW020632140621
385477UK00005B/214